Jeremias Thiel

Kein Pausenbrot, keine Kindheit, keine Chance

Jeremias Thiel

KEIN Pausenbrot, KEINE Kindheit, KEINE Chance

Wie sich Armut in Deutschland anfühlt und was sich ändern muss

Unter Mitarbeit von Ulrike Strerath-Bolz

PIPER

Mehr über unsere Autoren und Bücher:
www.piper.de

Zum Schutz der Privatsphäre der handelnden Personen wurden in einigen Fällen Details und Namen verändert.

Für meinen besten Freund Dean.
Und für Oli und Kathrin.
Ihr habt ganz am Anfang meines Weges gestanden.
Ohne euch wäre das alles nicht möglich gewesen.

ISBN 978-3-492-06177-3

Satz: psb, Berlin
Gesetzt aus der Swift
Litho: Lorenz & Zeller, Inning am Ammersee
Druck und Bindung: CPI books GmbH
Printed in the EU

Inhalt

Prolog: Der Verrat

Der letzte Abend, den ich in meiner Familie verbracht habe, war der 10. September 2012. Nein, eigentlich stimmt das nicht. Ich habe ihn nicht mit meiner ganzen Familie verbracht, sondern mit meinem Zwillingsbruder Niklas und meinem Halbbruder Stephan, der eigentlich bei einer Pflegefamilie in Polen lebte und uns zu dieser Zeit besuchte. Bis dahin hatte ich ihn noch gar nicht gekannt, aber in den Monaten, als er bei uns war, haben wir viel miteinander unternommen. Ab und zu sind wir mit dem Sozialausweis unserer Eltern ins Freibad gefahren. An sehr viel mehr erinnere ich mich nicht mehr. Meine Mutter hatte meinen Halbbruder irgendwann rausgeworfen, als er zwanzig war. Sie kam überhaupt nicht mit ihm klar.

An diesem Abend im September 2012 war ich elf. Ein kleiner, schmächtiger Elfjähriger, Schüler der sechsten Klasse, Gesamtschule Bertha von Suttner, Kaiserslautern. Bis zu diesem Abend hatte ich mir alle Mühe gegeben, so etwas wie ein Familienleben aufrechtzuerhalten. Ich habe morgens alle aufgeweckt, meinen Bruder für die Schule fertig gemacht, uns Frühstück gemacht, so gut ich konnte. Nach der Schule habe ich eingekauft, Geld am Automaten geholt und ab und zu geholfen, wenn mal wieder ein Antrag ausgefüllt werden musste. Doch allmählich spürte ich, dass das so nicht weiterging. Ein elfjähriger Junge kann nicht die Verantwortung für seine Eltern übernehmen, schon gar nicht für seine ganze Familie. Und schon dreimal nicht für eine Familie wie unsere. So klar war mir das an diesem Abend allerdings nicht, es war mehr ein undeutliches Gefühl. Eine Art Panik, die in mir aufstieg. Ich wusste nicht, dass ich mir etwas Unmögliches aufgehalst hatte. Ich wusste nur, dass ich total überfordert war und nicht mehr konnte. Ich brauchte Hilfe, und zwar ganz schnell.

Unsere Familiensituation war damals mehr als schwierig. Meine Mutter leidet, so vermute ich, unter ADHS und war lange Zeit spielsüchtig. Mein Vater leidet unter einer bipolaren Störung – früher sagte man wohl manisch-depressiv dazu – und war zu dieser Zeit am tiefsten Punkt einer manischen Phase angekommen. Außerdem wohnte er damals gar nicht bei uns in der Wohnung. Meine Eltern hatten schon zwei Jahre zuvor entschieden, dass sie nicht mehr miteinander leben wollten. (Inzwischen haben sie sich wieder zusammengetan und sogar wieder geheiratet.) Daraufhin ist meine Mutter mit uns Kindern in unserer Familienwohnung geblieben, mein Vater ist ein Stockwerk tiefer gezogen. Dort lebte er mehr schlecht als recht in einer Einzimmerwohnung. Wenn seine psychischen Probleme zu groß wurden, lag er in dem abgedunkelten Zimmer im Bett, neben sich ein Rucksack voller Tabletten, hauptsächlich Psychopharmaka. Meine Tante kam ab und zu mal vorbei, um bei ihm zu putzen. Und ich besuchte ihn auch ziemlich oft.

Wenn es oben zu laut und hektisch wurde oder wenn es Streit gab, zog ich eine Weile zu ihm. An diesem letzten Abend habe ich bei ihm noch ein Computerspiel gespielt: einen Bus-Simulator, mit dem ich durch New York City fuhr. Ich kann mich an vieles an diesem Abend nicht mehr gut erinnern, aber dieses Computerspiel sehe ich noch ganz genau vor mir.

Die Situation meiner Eltern war also schon ziemlich schwierig. Beide waren nicht in der Lage zu arbeiten, hatten nie wirklich gearbeitet, lebten von Hartz IV und trieben haltlos durch einen chaotischen Alltag, der keine Struktur hatte. Und dann war da noch mein Zwillingsbruder Niklas. Er lebte eigentlich auch nicht bei uns, sondern war schon seit zwei Jahren in einer Spezialeinrichtung für Kinder mit besonderem Förderungsbedarf untergebracht. Auch davor hatte er einige Tageseinrichtungen durchlaufen, weil meine Mutter nicht mit ihm zurechtkam und weil seine Schulprobleme zu groß geworden sind. Im Sommer 2012 wohnte er aber gerade bei uns, weil er einen Fahrradunfall hatte und danach viermal am Bein operiert wurde. Während die Verletzung ausheilte, war er von der Einrichtung freigestellt. Zur Schule ging er in dieser Zeit nicht.

Eine ADHS-kranke, oft aggressive und dazu spielsüchtige Mutter. Ein manisch-depressiver Vater. Und ein ADHS-kranker Bruder. Alle drei nicht in der Lage, Verantwortung für sich oder andere zu übernehmen. Alle drei total darauf angewiesen, dass sich jemand um sie kümmerte. Und dieser Jemand …

Tja, dieser Jemand war ich.

An diesem Abend im September ist meine Mutter ausgegangen und hat uns – Stephan, Niklas und mich – in der Wohnung eingeschlossen. Da wir befürchteten, sie könnte tagelang nicht wiederkommen, und wir keine Ahnung hatten, wann sie uns wieder aus der Wohnung lassen würde, war es ein ziemliches Drama. Zum Glück konnten wir aus dem Fenster nach meinem Vater rufen, der einen Schlüssel zu unserer Wohnung hatte und uns schließlich befreite. Das hatte er schon ein paarmal getan. Doch diesmal hörte er unser Rufen nicht sofort, und die Nachbarn riefen die Polizei. Die Beamten, die dann herbeigeeilt kamen, unternahmen allerdings nichts weiter, weil mein Vater ja da war und uns bereits befreit hatte.

Dieses Ereignis war wohl der Tropfen, der das Fass zum Überlaufen gebracht hat. Denn an diesem Abend stand ich da und wusste auf einmal, dass ich so keinen einzigen Tag mehr weitermachen konnte und würde.

Die Angst ist einfach zu groß geworden. Nicht nur, weil ich nicht wusste, wo meine Mutter war und wann sie wiederkommen würde. Ich hatte auch furchtbare Angst, in diesem irrsinnigen Leben stecken zu bleiben. Ich wusste damals nicht, dass es dafür einen Namen gibt: Kinderarmut. Ich wusste auch nicht, dass es Statistiken und wissenschaftliche Studien darüber gibt. Ich wusste nur, dass mein Leben nicht in Ordnung war. Jeden Tag in der Schule konnte ich sehen, wie meine Mitschüler*innen lebten. Die wenigsten von ihnen kamen aus besonders wohlhabenden Familien, aber sie führten trotzdem ein normales Leben. Ein ganz normales Kinderleben, in dem ihnen die meisten Sorgen von ihren Eltern abgenommen wurden. Ganz abgesehen von alltäglichen Dingen, die für sie selbstverständlich waren: Kino, Urlaub, ordentliche

Schulsachen und ein Pausenbrot, das diesen Namen verdiente.

Ich hatte kein normales Kinderleben. Ich steckte fest in meiner ziemlich kaputten Familie, und manchmal hatte ich tatsächlich das Gefühl, ich würde nach Armut riechen. In der vierten Klasse hatte ich keine Empfehlung fürs Gymnasium bekommen, obwohl meine Noten dafür gesprochen hätten. Auf dem Etikett, das man mir aufgeklebt hatte, stand: schlauer Kerl, aber arm, keine Unterstützung aus der Familie, schlechte Prognose. In der Schule glaubte man einfach nicht an mich. Nix mit Gymnasium.

Ich hatte Angst, dass die Leute, die nicht an mich geglaubt hatten, recht behalten würden. Dass ich irgendwann in dem Wahnsinn unseres Familienalltags genauso untergehen würde wie meine Eltern und mein Zwillingsbruder. Deshalb beschloss ich, etwas zu unternehmen.

Am nächsten Morgen schnappte ich mir Niklas und machte mich gemeinsam mit ihm auf den Weg zum Jugendamt in Kaiserslautern. Wir nahmen überhaupt nichts mit, weil wir nicht wirklich damit gerechnet haben, dass man dort sofort etwas unternehmen würde. Wir gingen eher davon aus, dass man unsere Bitten anhören, uns dann aber erst mal wieder nach Hause schicken würde. Schließlich – das habe ich aber erst viel später erfahren – bestand ja schon seit dem Jahr 2000 Kontakt zwischen dem Jugendamt und meiner Familie. Niklas und meine Eltern waren schon oft dort gewesen, unsere Familie war den Beamten seit vielen Jahren bekannt.

Für mich jedoch war es das erste Mal, dass ich das

rosa verputzte Haus betrat. Ich hatte eine Heidenangst. Vor all den Klischees, die ich im Kopf hatte zum Thema Kinderheim. Vor prügelnden Betreuern, ungerechten Strafen, Mobbing durch andere Kinder, noch mehr Perspektivlosigkeit. Und vor allem davor, meine Familie zu verraten – ganz besonders meinen Vater. Was tat ich meinen Eltern und Niklas an, wenn ich ging? Ich fühlte mich wie ein Verräter. Und manchmal holte mich dieses Gefühl in den Jahren danach wieder ein.

Wäre ich ein paar Jahre älter gewesen, hätte ich mir vielleicht Mut angetrunken, bevor ich das Jugendamt betrat. Stattdessen haben Niklas und ich uns in einen regelrechten Zuckerrausch versetzt. Bevor wir die Wohnung verließen, haben wir auf dem Boden einen Zehneuroschein gefunden und mitgenommen. Den haben wir beim Bäcker in Donuts und Brezeln umgesetzt. Und so waren wir, als wir das Jugendamt betraten, nicht nur übernächtigt, zerzaust und schmutzig, sondern auch leicht zuckerschwindelig und hatten unglaublich klebrige Finger.

Als wir an die Zimmertür von Herrn Biller klopften, müssen wir einen vollkommen verwahrlosten Eindruck gemacht haben. Jedenfalls sahen wir wohl schlimm genug aus, dass er sofort alarmiert war. Ich bin diesem Mann bis heute sehr dankbar. Er hat sofort alle Hebel in Bewegung gesetzt, um für mich eine Unterbringung zu organisieren, auch wenn es erst mal nur ganz provisorisch war. Ich bin vorerst in die Wohngruppe meines Bruders gekommen, wo ich drei Tage lang unter Kindern und Jugendlichen lebte, die Verhaltensdefizite aufwiesen. Richtig toll war das natürlich nicht. Außerdem war diese Wohngruppe etwa 30 Kilometer von meiner Heimatstadt entfernt. Das bedeutete unweigerlich auch, dass ich ein paar Tage nicht zur Schule gehen konnte, nichts von meinen Freunden hörte und auch sonst von allem isoliert war, was sich irgendwie »normal« anfühlte.

Nach ein paar Tagen holte mich Herr Biller vom Jugendamt in der Wohngruppe ab. Inzwischen war klar, dass ich im Jugendhaus des SOS-Kinderdorfs in Kaiserslautern leben würde. Dort verbrachte ich die nächsten fünf Jahre und durfte endlich so etwas wie Stabilität und Kindsein erleben. Mir fiel ein riesengroßer Stein vom Herzen.

Ich werde nie den Moment vergessen, als ich mein neues Zuhause betrat, das bis heute immer noch mein gefühltes Zuhause ist: das Jugendhaus des SOS-Kinderdorfs. Ich stand vor der großen Runde der Betreuer*innen, war vollkommen überfordert von all den Blicken und fremden Gesichtern und brach ganz einfach in Tränen aus. Carina, die Betreuerin einer anderen Gruppe, kam zu mir und nahm mich in den Arm. Auf einmal hatte ich das Gefühl von Geborgenheit, Zuneigung und … irgendwie auch Sicherheit. Ein gutes Gefühl, das ganz fest in meine Erinnerung eingeprägt ist.

Was genau im Jugendamt passierte, ist dagegen aus meinem Gedächtnis wie ausradiert. Ich erinnere mich nur noch an meine weichen Knie, an den Mann, der uns die Tür öffnete, und dass ich gesagt habe: »Ich möchte weg von zu Hause, weg von meinen Eltern.« Wahrscheinlich sind mir auch dort vor lauter Erschöpfung und Erleichterung die Tränen gekommen – ich weiß es nicht mehr. Dieser Moment war der absolute Tiefpunkt in meinem Leben. Und gleichzeitig der absolute Höhepunkt. Danach wurde alles anders.

Mein zweigeteiltes Leben

Mein Leben, das ja noch gar nicht so lange dauert, zerfällt also in zwei Teile: die Zeit vor dem Verlassen meiner Familie und die Zeit danach.

Ich bin im Mai 2001 geboren. In den ersten elf Jahren habe ich Armut hautnah erlebt. Mit aller Überforderung, die das für ein Kind bedeutet. Mit aller Angst, mit aller Schwächung meines Selbstbewusstseins, mit aller Trostlosigkeit und einem Gefühl tiefer Resignation und Hoffnungslosigkeit. Ich hatte nicht den Hauch einer Ahnung, wie sich jemals irgendetwas an meinem Leben zum Guten wenden sollte. Ich habe viel zu früh viel zu viel Verantwortung übernehmen müssen, habe ein Stück weit meine Familie »gemanagt«, obwohl ich selbst gerade erst Lesen, Schreiben und Rechnen gelernt hatte. Und vor allem – und das war für mich das Schlimmste – war ich gezwungen, ein Leben zu führen, dem jedes noch so kleine Stückchen Struktur und Ordnung fehlte.

Das war die erste Hälfte.

Von dem Moment an, als ich – nach der kurzen, sehr schwierigen Übergangszeit in der Wohngruppe meines Bruders – im SOS-Kinderdorf in Kaiserslautern angekommen war, verwandelte sich mein Leben von Grund auf. Zum ersten Mal erlebte ich verlässliche Fürsorge durch Erwachsene, so etwas wie ein strukturiertes Leben ... und Ruhe. Dass mir das unendlich gutgetan hat, liegt auf der Hand. Nur auf diese Weise konnte ich erreichen, was ich bisher geschafft habe: einen guten Schulabschluss und die Chance auf ein Universitätsstudium.

Ich bin dankbar für beide Erfahrungen. Denn heute bin ich genau dadurch in der Lage, Dinge in unserer Gesellschaft zu sehen, die vielen anderen verborgen bleiben. Ich kenne das Leben in Armut ebenso wie den relativen Luxus in einer wohlhabenden Umgebung. Ich habe die Zustände in der Jugendhilfe ebenso erlebt wie die Ausbildung an einer fantastischen Privatschule. Und ich kenne das Leben in einer »bildungsfernen« Familie ebenso wie den Bildungshunger und das selbstbestimmte Lernen auf einen internationalen Schulabschluss hin – und inzwischen darüber hinaus.

Ich bin, ohne mir das ausgesucht zu haben, ein Wanderer zwischen den Welten geworden. Das ist fast immer spannend, oft mühsam und auf jeden Fall – so sehe ich das – mit der großen Aufgabe verbunden, zwischen diesen Welten zu vermitteln. Zwischen Welten, die viel zu wenig voneinander wissen und viel zu wenig miteinander reden. Es wird Zeit, dass hier Brücken gebaut werden, die ein gegenseitiges Verständnis möglich machen. Auch das ist eine Motivation für mich gewesen, dieses Buch zu schreiben.

DAVOR

Auf dem Kotten

Ich bin in Kaiserslautern geboren und aufgewachsen. Bekannt ist diese Stadt vielen Menschen vor allem wegen ihres traditionsreichen Fußballklubs, des FC Kaiserslautern mit seinem Stadion auf dem Betzenberg. Man nennt die Spieler auch die »Roten Teufel«, und der Fußballspieler Fritz Walter gilt wohl seit den Fünfzigerjahren als größter Sohn der Stadt. Ich bin zwar kein großer Fußballfan, aber natürlich bin ich als Kind ab und zu auf dem »Betze« gewesen. In der Schule gab es manchmal Freikarten, das war dann immer ein Großereignis der besonderen Art.

Ansonsten ist »Lautre«, wie die Einheimischen sagen, eine sehr normale deutsche Industriestadt mit etwa hunderttausend Einwohnern, einigen wichtigen Baudenkmälern (Wahrzeichen der Stadt ist die katholische Marienkirche, in der ich getauft wurde und zur Erstkommunion ging) und einem großen amerikanischen Militärstützpunkt. Die Kaiserslautern Military Community umfasst immerhin etwa fünfzigtausend Menschen. Sie ist der größte amerikanische Militärstützpunkt außerhalb der USA. Die Ramstein Airbase liegt ganz in der Nähe der Stadt und ist ebenfalls ein wichtiger Wirtschaftsfaktor.

Das Stadtviertel, in dem ich meine Kindheit verbracht habe, trägt den Namen Kotten. Auf gut Pfälzisch: »ufm Kotte«. Benannt ist dieses Viertel nach dem Kottenfeld, das seinerseits nach dem »Koden« benannt ist. Im Mittelalter war ein Koden das Krankenhaus für die Leprakranken. Das Kottenfeld lag also außerhalb der eigentlichen Stadt.

Der heutige Kotten hat eine ganz interessante Geschichte, weil er ein systematisch geplantes Arbeiterwohnviertel war. In diesem Teil der Stadt gab es eine große Kammgarnspinnerei, die sehr viele Menschen beschäftigte. Mitte bis Ende des 19. Jahrhunderts wurde dann eine Arbeitersiedlung ganz in der Nähe der Spinnerei erbaut, wie man das früher in Industriestädten eben machte: Fabrik und Wohnviertel bildeten eine Einheit, Wohnen und Arbeiten gehörten eng zusammen. Zu dieser Zeit waren solche Arbeitersiedlungen auch Orte eines engen sozialen Zusammenhalts. Man kannte sich, die Lebenswelten ähnelten einander, auch die Abhängigkeiten. Schließlich lebten ja alle von dem Lohn, den der eine große Arbeitgeber zahlte. Und die Kinder gingen, wenn sie die Volksschule hinter sich hatten, mit wenigen Ausnahmen »in die Fabrik«.

Den Grundriss des ursprünglichen Arbeiterviertels sieht man noch heute, obwohl es im September 1944 durch einen großen alliierten Bombenangriff komplett zerstört wurde. Nach Kriegsende wurde es aber nach den alten Plänen wiederaufgebaut. Der Grundriss ist also geblieben, aber das Miteinander ist mit dem Verlust der alten Industrien verschwunden. Die Sache mit dem engen sozialen Zusammenhalt hat sich leider geändert.

Heute ist der Kotten auch kein reines Arbeiterviertel mehr, sondern ein sozial stark gemischtes Viertel. Oder besser gesagt: ein sozial geteiltes Viertel, denn eine wirkliche Durchmischung findet dort nicht statt. Selbst auf einem Stadtplan oder auf Google Maps kann man die Unterschiede deutlich sehen. Im östlichen Teil, wo die Straßen breiter und die Grundstücke großzügiger sind, lebt gediegener Mittelstand. Im westlichen Teil mit seiner engen Bebauung – früher sagte man wohl »Mietskasernen« dazu – gibt es bis heute zum Teil bittere Armut. Und man spürt in vielen Ecken Resignation, nicht nur bei den Menschen, sondern auch im Stadtbild. Es wirkt alles ein bisschen verwahrlost. Hier leben die armen Familien. Die »Hartzer« halt ...

Ja, so werden sie genannt. Keine sehr freundliche Bezeichnung, aber immer noch besser als die Bezeichnung »Asoziale«, die in den Siebzigerjahren wohl üblich war. Dass man so über sie spricht, zeigt schon: Auf dem Kotten lebt man nicht miteinander, sondern nebeneinander. Man kann leider wirklich nicht behaupten, dass er ein Beispiel für gelungene soziale Durchmischung wäre, obwohl es durchaus Ansätze gibt, das zu ändern, beispielsweise vonseiten der Schule.

Am ehesten fand soziale Durchmischung noch in der Grundschule statt, die ja praktisch alle Kinder aus dem Stadtviertel besuchten. Die Schule ist ein roter Backsteinbau mit Sandsteingiebeln: drei Stockwerke mit hohen Räumen und großen Fenstern, einige sparsame Verzierungen an der Fassade, hohe Bäume rundherum, ein einfacher Zaun, ein paar Klettergeräte auf dem Pausenhof.

Eine Grundschule mit Wurzeln im 19. Jahrhundert, wie es sie in Deutschland zu Tausenden gibt. »Volksschule« steht im Sandstein über den Eingängen. Bezeichnenderweise steht diese Schule genau auf der Grenze zwischen dem »besseren« und dem »schlechten« Teil des Viertels.

Heute gibt es in der Schule ein Angebot mit Ganztagesbetreuung bis 16 Uhr, für die ca. zweihundertfünfzig Schüler*innen sind etwa sechzig Mitarbeiter*innen zuständig. Seit 2009 gibt es zwei Sozialarbeiter*innen der SOS-Kinder-und-Jugendhilfe und zwei FSJler sowie zahlreiche Helfer*innen für die Nachmittagsbetreuung. Wenn man sich die Website der Schule ansieht, spürt man, wie viel Mühe sich die Leitung und alle Beteiligten mit den Kindern geben. Offener Anfang (das heißt, die Kinder können schon vor Unterrichtsbeginn kommen und in ihrer Klasse sein, zum Beispiel um zu frühstücken), Betreuung über die Unterrichtszeit hinaus und vieles mehr (nicht zuletzt Schulhund Jessy, man darf nicht unterschätzen, was ein solcher Besuchshund bei Kindern bewirken kann!) … ganz deutlich erkennt man das Bemühen, die Kottenschule zu einem Ort des gemeinsamen Lebens zu machen und alle Kinder »mitzunehmen«.

Doch wenn ich an meine Zeit auf dem Kotten zurückdenke, auf dem ich gelebt habe, bis ich elf Jahre alt war, dann ist diese Schule im Grunde genommen der einzige Ort, an dem ein solches gemeinsames Leben stattfand. Schon auf den Spielplätzen war die Gemeinsamkeit zu Ende, denn es gab zwei in diesem Viertel: einen für die Kinder aus dem »besseren« Teil, den Sedan-Spielplatz an der Schützenstraße, und einen für die Kinder aus dem »schlechten« Teil – für uns: den Kotten-Spielplatz. Er verdiente den Namen kaum, war eher ein Treffpunkt für die Jugendlichen, die ansonsten nicht wussten, wohin. Symbol dafür waren die Glasscherben, denn dort wurde ständig Bier getrunken.

Nicht, dass es irgendein ausgesprochenes Verbot gegeben hätte, den jeweils anderen Spielplatz zu betreten oder zu benutzen. Aber es gab eine Art magischer Trennwand zwischen den Lebenswelten, die auch die Spielbereiche der Kinder voneinander trennte.

Unscharfe Erinnerungen

Ich habe nicht sehr viele konkrete Erinnerungen an die Zeit, bevor ich in die Schule kam. Doch zwei Szenen will ich kurz beschreiben, weil sie mir in Erinnerung geblieben sind und weil sie im Rückblick eine große Symbolkraft für mich haben. Die eine ist ein Symbol für die Trostlosigkeit in meinem Kinderleben: Ich nenne sie »der schwarze Schrank«. Die zweite steht für Hoffnung und Fürsorge und ist mir ganz besonders lieb. Es geht dabei um meine Oma väterlicherseits.

Der schwarze Schrank

Der schwarze Schrank stand in unserem Kinderzimmer. In den Augen des kleinen Kindes, das ich damals war, erschien er riesengroß, fast wie ein Zimmer im Zimmer. Er beherrschte den Raum, in dem ich mit meinem Bruder lebte. Sonst standen darin nur noch unsere zwei Betten. Viel mehr Platz hatten wir auch nicht.

Der Schrank war Abenteuerspielplatz, Versteck, Zufluchtsort und Ruheinsel in einem. Er war sehr wackelig und hoch, und wir kletterten ständig auf ihm herum, was ihn wahrscheinlich noch wackeliger machte. Man muss dazu wissen, dass mein Bruder und ich sehr viel Zeit in unserem Kinderzimmer verbrachten. Wenn wir nicht im Kindergarten waren, hielten wir uns dort auf. Wenn unsere Eltern die Nachbarn besuchten, wenn sie vor dem riesigen Fernseher im Wohnzimmer saßen, wenn wir allein in der Wohnung waren … Dieses Zimmer war unsere kleine, sehr beengte Welt. Und der Schrank war so eine Art Lebensmittelpunkt.

Erst heute, in der Rückschau, sehe ich, wie bedrückend diese Vorstellung eigentlich ist. Damals war das für uns vollkommen normal, und wir haben uns keine Gedanken darüber gemacht. Unser Leben war nun mal so. Wir saßen in den zwei Abteilen des Schranks und verbrachten Zeit miteinander. Wir lachten gemeinsam über Kleinigkeiten, weinten gemeinsam über die ersten Milchzähne, die wir verloren, stritten uns um Spielzeugautos, schliefen auch mal aneinandergekuschelt darin ein.

Vor allem aber wetteiferten wir um die Aufmerksamkeit unserer Eltern. Wie alle Kinder suchten wir nach Anerkennung und Wertschätzung. Außerhalb unserer Familie war damit nicht wirklich zu rechnen. Wir hatten selten Besuch, Kindergartenfreunde kamen nicht in unsere Wohnung, weil unsere Eltern das nicht wollten. Die offizielle Begründung lautete: So viele Kinder machen Dreck, Unordnung und Lärm. In Wirklichkeit waren wohl die Scham und das Misstrauen meiner Eltern zu groß. Sie wollten um Himmels willen vermeiden, dass jemand mitbekam, wie beengt und chaotisch wir lebten. Die Nachbarn hätten ja darüber reden können. Wie auch immer: Wenn wir mit anderen Kindern spielen wollten, dann ging das nur auf dem Spielplatz. Und da meine Mutter nicht auf die Idee kam, mit uns dort hinzugehen, war der Spielplatz erst eine Option, als wir etwas größer waren. Übrigens gab es auch nur selten Einladungen zu Geburtstagsfeiern – wir konnten ja nicht mit einer Gegeneinladung punkten.

Irgendwann krachte der schwarze Schrank in sich zusammen, während wir beide drinsaßen. Es war ein großes Chaos, und wir heulten beide laut los vor Schreck. Dabei hatten wir Glück gehabt, dass uns nichts passiert war. In unseren Schranknischen waren wir vor den herabfallenden Holzteilen und dem Chaos um uns herum geschützt. Mein Vater reagierte als Erster – ich erinnere mich noch, wie erschrocken er aussah, als er in der Tür stand.

Manchmal denke ich, meine Schranknische ist eine Metapher für meine ersten Lebensjahre in meiner Familie. Ich hatte mich irgendwie darin eingerichtet, hielt diese Nische für einen schützenden Rückzugsraum, der mir ganz allein gehörte und mir auch so etwas wie Sicherheit bot. Doch in Wirklichkeit war diese Nische klein, zerbrechlich und ständig vom Chaos bedroht.

Meine Oma

Eine Woche vor meinem ersten Schultag besuchte ich gemeinsam mit meinem Bruder meine Oma väterlicherseits. Sie wohnte gar nicht weit von uns entfernt, nur eine Straße weiter. Das Haus, in dem sie lebte, war gelb gestrichen, der Eingang so groß wie eine Autoeinfahrt, die Klingel schwarz und schmutzig. Ein sehr einfaches Haus, nicht besser, schicker oder sauberer als unseres.

Und doch.

Wenn ich vor diesem Haus stand, wusste ich, dass es mir gut gehen würde. Schon als Kindergartenkind atmete ich auf, wenn ich dort sein durfte. Es fühlte sich an, als wäre die Luft dort anders. Bei meiner Oma gab es Spätzle und gutes Brot. Beides war viel mehr für mich als bloße Nahrungsmittel. Was wir bei ihr bekamen, war nicht nur Nahrung für den Körper, sondern auch für unsere Seele. Jede Scheibe Brot bei ihr war voller Liebe, Zuneigung und Fürsorge, ganz anders als bei mir zu Hause. So einfach kann das sein. Bis heute überstrahlt das Bild meiner Großmutter die Normalität bei uns zu Hause und stellt sie in den Schatten. Es ist ein Bild für das Gute in meinem Leben.

Wenn ich heute an meine Großmutter denke, überkommt mich ein Gefühl von Gemeinschaft, Beisammensein, Familienstärke. Sie war der ruhige Gegenpol zu der unübersichtlichen Situation bei uns zu Hause. Zu Hause, das war da, wo meine Mutter herumschrie, mein Vater zwischen manischen und depressiven Phasen hin- und herglitt, wo meine Eltern ständig damit beschäftigt waren, ihre riesigen Probleme zu bewältigen. Manchmal miteinander, allzu oft gegeneinander.

Kurz vor meinem ersten Schultag starb meine Oma. Hätte ich geahnt, dass sie bald nicht mehr bei uns sein würde, dann hätte ich wahrscheinlich die letzten zwei Wochen vor meiner Einschulung bei ihr gelebt. Ich hätte mich an sie gekuschelt, hätte mir von ihr ein Brot schmieren lassen, das ich dann auf dem immer gleichen Stuhl am Esstisch verspeist hätte. Ich hätte Hagebuttentee getrunken, aus einer ihrer großen, abgestoßenen Tassen. Ich hätte mich vollgesaugt mit Geborgenheit.

Aber ich ahnte natürlich nicht, dass sie sterben würde. Und so ging der letzte Tag, den wir bei meiner Oma verbrachten, vorüber wie alle anderen zuvor. Wir gingen hin, wurden wie immer freudig und freundlich aufgenommen, blieben ein Weilchen und zuckelten dann wieder los. Nach Hause.

Ihr Tod machte mich sehr traurig, auch wenn ich das Ganze kaum begriff; ich war ja noch ziemlich klein. Ich merkte auch deutlich, wie sehr mein Vater unter diesem Verlust litt. Auch für ihn hatte sie Halt und Orientierung, Fürsorge und Geborgenheit bedeutet, wie man es von einer Mutter erwartet und kennt. Sie war einer der wenigen Menschen, mit denen er einen positiven Kontakt hatte, der Fels in der Brandung seines chaotischen Lebens, sein Ruhepol, sein Schutz. Und sie hatte die ohnehin brüchige Familie meines Vaters noch irgendwie zusammengehalten. Wenn ich auch noch keine rechte Vorstellung davon hatte, was Tod bedeutet, so spürte ich doch den enormen Verlust. Mit meiner Oma ging vielleicht das letzte Stückchen Struktur in unserer Familie verloren.

Mein erster Schultag

Nun sollte ich also endlich in die Schule gehen. Meine Eltern und auch andere Erwachsene machten eine große Sache daraus, der Beginn eines neuen Lebensabschnitts. Vom »Ernst des Lebens« war auf einmal die Rede, ohne dass ich auch nur ansatzweise verstand, was sie damit wohl meinten. Ich wusste, ich würde Lesen, Schreiben und Rechnen lernen und den ganzen Tag bis 16 Uhr dort verbringen. Das genügte mir. Mir erschien der Schritt in die Schule unvorstellbar groß. »Größerwerden« fand ich sehr aufregend.

So bereiteten mein Bruder und ich uns also auf den wichtigen ersten Schultag vor. Wir sprudelten fast über vor lauter Vorfreude. Beide bekamen wir einen neuen Schulranzen, Schulmaterialien, Bücher und natürlich eine Schultüte, randvoll mit Süßigkeiten. Es war für uns und viele andere Kinder der Tag der Tage.

Und so ist mir dieser Tag auch bis heute deutlich in Erinnerung. Im Radio lief »Westerland« von den Ärzten, als wir uns am Morgen fertig machten. Während sonst so viel von meiner frühen Kindheit in einem Nebel aus Trostlosigkeit versinkt, war dieser erste Schultag einer der wenigen ganz besonderen Momente, die ich mit meinen Eltern und meinem Bruder erleben durfte. Ich werde nie vergessen, wie ich mit meinem Dinosaurier-Rucksack und der dazu passenden Schultüte loszog in einen neuen Lebensabschnitt. Die Umi-Fiebel und all die anderen Schulbücher, die ich zu Anfang meines ersten Schultags in den Händen hielt …

Das erste Schuljahr, das auf diesen Tag folgte, war insgesamt sehr wichtig für mich. Es war eine Zeit des Wachsens, der großen Schritte ins Leben. Ich durfte endlich erfahren, dass Lernen Spaß macht, und hatte tausend Fragen. Aus jeder Antwort, die man mir gab, entwickelten sich gleich wieder neue Fragen. Schule war toll. Lernen war toll. Und ist es immer noch.

Zumindest gilt das für Kinder wie mich, die sich »normal« entwickeln und von den Ansprüchen der Grundschule gefordert, aber nicht überfordert sind. Für Kinder, die von den anderen akzeptiert werden und ihre Kräfte nicht dafür aufwenden müssen, verzweifelt nach Anerkennung und »Ankommen« zu suchen. So erging es leider meinem Zwillingsbruder. Niklas kam in der Schule überhaupt nicht zurecht. Er war von einer ständigen Unruhe getrieben und konnte nicht still sitzen. Und wenn man ihn zurechtwies, reagierte er heftig, trotzig, schlug manchmal sogar um sich. Ein Teufelskreis begann, denn so zog er immer mehr Ablehnung auf sich, die ihn immer noch unglücklicher und trotziger werden ließ. Und ich beobachtete ihn in seinem Unglück und konnte ihm nicht helfen.

Ich will aber noch mal auf den ersten Schultag zurückkommen. Erst in der Rückschau von heute her ist mir klar, wie viel meine Eltern für diesen besonderen Tag auf sich genommen haben. Die randvolle Schultüte, die Schulranzen, die Sportsachen, der Turnbeutel, die Malsachen, der Kopierbeitrag, die Unterrichtsmaterialien, das Federmäppchen und viele weitere Anschaffungen – und das alles mal zwei – hatten für meine Eltern vor allem eine Folge: Von ihrem Arbeitslosengeld II, pro Person 423 Euro, war die Hälfte futsch. Ich frage mich bis heute, wie sie es geschafft haben, das alles zu finanzieren. Und ich ziehe meinen Hut vor ihnen, dass sie es sich nicht haben nehmen lassen, ihren Kindern einen tollen ersten Schultag zu ermöglichen. Sie haben uns ein großes Geschenk gemacht, indem sie im Rahmen ihrer Möglichkeiten dafür sorgten, dass wir trotz aller Schwierigkeiten sorglos und »so wie die anderen« in unser Leben als Schulkinder starten konnten.

Als Sechsjähriger habe ich mir darüber keine Gedanken gemacht. Ein Kind weiß nicht, dass solche Kosten für eine Hartz-IV-Familie kaum zu stemmen sind. Es weiß nicht, dass ein Haushalten mit einem so eingeschränkten Budget äußerst mühsam und oft kaum möglich ist. Und es muss das alles auch nicht wissen. Ein Kind von sechs Jahren, ein Schulanfänger, hat ein Recht auf Sorglosigkeit.

Doch ganz so einfach war es nicht, denn selbstverständlich bekam ich mit, dass unser Leben nicht sorgenfrei war. Die Geldsorgen waren der zweite schwierige Faktor in unserem Familienleben, neben den psychischen Problemen meiner Eltern und meines Bruders.

In der Tagesgruppe

Dem Jugendamt war unsere familiäre Situation durchaus bekannt. Spätestens ab unserer Einschulung hatte man meinen Bruder und mich im Blick. In der zweiten Klasse hatte meine Grundschullehrerin den Eindruck, dass ich mich auffällig verhielt. Meine schulischen Leistungen waren in Ordnung, aber mein Verhalten den anderen Kindern gegenüber entsprach wohl absolut nicht der Norm. Ich kann dazu in der Rückschau gar nicht so viel sagen und erinnere mich auch nicht genau, was der Auslöser war. Aber ich vermute, dass der ganze Stress zu Hause sich in Nervosität und Gereiztheit äußerte. Kein Wunder! Ich bin froh, dass meine Lehrerin das wahrgenommen hat und sich nicht hinter irgendwelcher Bürokratie oder Kompetenzfragen versteckte, sondern etwas unternahm.

Jedenfalls nahm sie Kontakt mit dem Jugendamt auf, schilderte dort mein Problem, und daraufhin sorgte der Sozialarbeiter dafür, dass ich einen Platz in einer speziellen Tagesgruppe bekam. Ich ging also mittags nach der Schule nicht in mein chaotisches Zuhause zurück, blieb auch nicht in der Schule, sondern ging in diese Tagesgruppe, eine Art Hortgruppe, in der man mich besser betreuen und fördern konnte.

Oli und Kathrin, zwei Betreuer*innen in dieser Tagesgruppe, wurden zu extrem wichtigen Bezugs- und Ansprechpersonen für mich. Ich habe bis heute einen persönlichen Kontakt zu ihnen, der mir sehr viel bedeutet. Diesen beiden Menschen verdanke ich viel, sie waren in dieser Zeit eine echte Zuflucht für mich, und die Tagesgruppe war ein Ort zum Andocken. Ich kam mit den anderen Kindern gut zurecht, und das Programm war speziell auf uns zugeschnitten: auf Kinder mit einem besonderen Förderungsbedarf.

Ganz praktisch lief das so, dass ich mittags mit einem weißen Kleinbus von der Schule abgeholt wurde. Mit dem fuhr ich dann in die Tagesgruppe. Sie war gerade mal gut hundert Meter von dem Jugendhaus entfernt, in dem ich später einige Jahre leben sollte. Ich verbrachte dort den ganzen restlichen Tag. Es gab erst mal ein Mittagessen, das wir gemeinsam in der Gruppe einnahmen. Danach wurden die Hausaufgaben gemacht, und wer Hilfe brauchte, bekam sie von den Betreuer*innen. Danach konnten wir zusammen spielen, basteln, es gab einige weitere Beschäftigungsmöglichkeiten und immer einen Erwachsenen zum Reden, wenn wir das brauchten.

Cool und für mich sehr hilfreich, weil es Struktur in meinen Kopf brachte, war das Belohnungssystem in der Tagesgruppe. Wer mit den Hausaufgaben fertig war, bekam Sterne, je nachdem, wie schnell es ging, wie gut man sich konzentriert hatte und wie die Qualität der Aufgaben war. Und das Besondere daran war: Diese Sterne kamen nicht nur dem Einzelnen zugute, sondern auch der ganzen Gruppe. Wenn wir alle zusammen über einen Monat hinweg genug Sterne gesammelt hatten, durften wir uns als Gruppe aussuchen, was wir machen und wohin wir gehen wollten. Kino, Schwimmbad, solche Sachen.

Für mich waren das echte Highlights, in meiner Familie waren derartige Ausflüge ja überhaupt nicht drin. Wir hatten zwar einen Sozialausweis, mit dem wir in manchen Einrichtungen ermäßigten oder freien Eintritt hatten, aber viele Dinge wären nur in Begleitung unserer Eltern möglich gewesen, und die ließen sich nur selten zu gemeinsamen Unternehmungen überreden. Deshalb habe ich für die Sterne hart gearbeitet und mich echt reingehängt. Eine solche positive Motivation hatte ich offenbar gebraucht; ich glaube tatsächlich, dass ich bis heute in der Art, wie ich lerne und arbeite, von diesem Anstoß profitiere. Punkte kriegen ist einfach cool für mich und zeigt mir, was ich schaffe. Heute sind es eben die Credits für meine Unterrichtsveranstaltungen an der Universität ...

Weil ich mich so reinhängte und hart dafür arbeitete, möglichst viele Sterne zu bekommen, führte das ganz nebenbei auch dazu, dass ich bald einen festen Platz in der Gruppe hatte und von den anderen Kindern anerkannt wurde. Es hat mein Selbstbewusstsein und meine Selbstachtung sehr gestärkt, dass ich über Leistung etwas erreichen konnte. Diese Motivation hätte ich zu Hause nie bekommen können. Dort herrschte eher die Meinung, es lohnt sich nicht, du kannst dich abstrampeln, so viel du willst, du kommst ja doch nicht aus deiner schwierigen Situation raus.

Neben diesen vordergründig pädagogischen Faktoren (im Grunde ist so ein Belohnungssystem ja eine echt einfache Sache, aber eben auch sehr wirksam) war für mich ganz entscheidend, dass ich in der Tagesgruppe Erwachsene fand, die für mich da waren. Es war unglaublich entlastend, einmal nicht derjenige zu sein, der alles managte. Die Betreuer*innen dort waren engagierte und liebevolle Menschen, bei ihnen konnte ich mich endlich mal entspannen und fallen lassen. Sie waren wirklich wie Eltern für mich. Am Anfang fiel es mir schwer, das zuzulassen, Zuneigung anzunehmen und selbst Zuneigung zu zeigen. Aber genossen habe ich es insgeheim trotzdem. Und langsam weichte meine viel zu harte Schale auf.

Am Wochenende gab es natürlich keine Tagesbetreuung. Dann kehrte ich in die triste Monotonie unseres Familienlebens zurück. Ich war froh, wenn ich am Montag wieder hingehen konnte. Die Tagesgruppe war wirklich mein Fluchtpunkt, mein sicherer Hafen.

Mein Bruder war am Anfang unserer Schulzeit, etwa ab 2008, auch in einer Tagesgruppe für Kinder mit besonderem Förderungsbedarf, einige dieser Kinder hatten ADHS. Erst später, mit neun Jahren, kam er dann in eine Wohngruppe, wo er besser unterstützt und gefördert werden konnte, und lebte von da an nicht mehr dauerhaft bei uns zu Hause.

Logischerweise gab es auch in dieser Tagesgruppe keine soziale Durchmischung. Das war genauso wie in unserem Stadtviertel: Man blieb unter »seinesgleichen«. Die ganze Gruppe bestand aus Kindern, die aus schwierigen Verhältnissen kamen, die in der Schule Verhaltensauffälligkeiten zeigten oder sonst wie Unterstützung brauchten. Kinder aus »normalen Familien« besuchten so eine Tagesgruppe nicht. Sie waren entweder in einem normalen Hort oder gingen nach der Schule nach Hause. Ein integrativer Ansatz war unter diesen Umständen schwierig bzw. unmöglich. Andererseits machte das eine intensive Förderung durch die Betreuer*innen auch erst möglich. Wir waren alle Kinder mit einem besonderen Bedarf an Förderung, und wir bekamen sie dort.

Über diese Tagesgruppe kam 2009 das Angebot, mit einer Kindergruppe der Caritas in den Sommerferien auf eine Freizeit zu fahren. Da die Teilnahme bezuschusst wurde und die Familien nichts kostete, meldeten meine Eltern sowohl meinen Bruder und mich dort an. Die Reise ging nach St. Peter-Ording an die Nordsee.

Diese Freizeit war ein großes Erlebnis für mich. Wir fuhren mit dem Bus, eine ganze Ladung aufgeregter Kinder. In dem Haus, wo wir untergebracht waren, gab es große Zimmer mit Stockbetten, wir hatten unseren eigenen Raum zum Essen und jede Menge Betreuer*innen, die uns mit ihrem Programm auf Trab hielten. Die Nordsee und der breite Strand haben mich auch sehr beeindruckt. So hohe Wellen, so viel Sand, so viel Sonne und Wind ... Wenn wir den Strand für uns eroberten, waren wir der Schrecken der übrigen Badegäste, laut und fröhlich, manchmal auch ein bisschen überdreht, wie wir nun mal waren. Begeisterung pur. An Heimweh haben wir nicht mal gedacht.

Dort habe ich übrigens auch meine erste »große Liebe« erlebt. Sie hieß Nina und war neun Jahre alt, also ein Jahr älter als ich. Bei der Kinderdisco, die es an mehreren Abenden gab, damit wir endlich müde wurden, haben wir uns zum ersten Mal geküsst. Ich schwebte wie auf Wolken.

Leider habe ich den Kontakt zu ihr verloren, obwohl ich echt intensiv nach ihr gesucht habe, immerhin für fast sieben Jahre. Sie wohnte in einer anderen Stadt, und ich kam einfach nicht an ihre Adresse heran. Aber vergessen habe ich sie nie.

Meine Erstkommunion

Mit zehn Jahren ging ich mit den anderen katholischen Kindern zum Kommunionunterricht in die Marienkirche, die große katholische Kirche im Zentrum von Kaiserslautern, das Wahrzeichen der Stadt. Ich fand den Unterricht eigentlich gut und interessant. Gleichzeitig fühlte ich mich in der Gruppe sehr unwohl. Nicht weil man mich dort schlecht behandelt hätte, die meisten Kinder waren wirklich nett dort.

Nein, ich schämte mich so sehr. Ich hatte nämlich die ganze Zeit nur mein einziges Paar Schuhe an, und meine Füße müffelten vor sich hin. Da ich immer das Gefühl hatte, alle müssten das merken, war ich nie wirklich entspannt und konnte mich gar nicht richtig auf den Unterricht konzentrieren. Ich war ständig damit beschäftigt, mich oder meine Füße zu verstecken. Dazu kam noch, dass ich mich in ein Mädchen verliebt hatte. Und vor ihr schämte ich mich wegen meiner Stinkefüße noch mehr.

Diese scheinbar unbedeutende Episode zeigt, wie Armut Kinder stigmatisieren kann. Die Angst, dass die anderen mich eklig finden und deshalb ablehnen könnten, war so übermächtig, dass alles andere im Kommunionunterricht davon überdeckt wurde. Kein guter Startpunkt für mein Leben als Mitglied meiner Kirche …

Die Erstkommunion selbst wurde in allen Familien – je nach Möglichkeiten und Mitteln – natürlich gefeiert. Das war auch bei uns der Fall. Nach der Messe fuhren wir in eine Pizzeria. Wir hatten ein paar Leute aus der Nachbarschaft eingeladen, außerdem war meine Patentante extra angereist und noch einige weitere Verwandte. Doch während meine Freunde am nächsten Tag auf dem Schulhof mit den Geldsummen angaben, die sie von der Verwandtschaft geschenkt bekommen hatten und die jetzt auf einem Sparbuch lagen, ging bei uns das geschenkte Geld für die Feier drauf. Mein Bruder und ich bekamen eine Wii-Spielekonsole. Schon dieses Geschenk hatten sich meine Eltern kaum leisten können.

Dass das so lief, kann ich meinen Eltern gar nicht vorwerfen. Für sie war dieses Fest eine erhebliche finanzielle Belastung. Aber sie hatten das Gefühl, Freunde und Verwandte einladen und ein solches Fest ausrichten zu müssen, um nicht blöd dazustehen. Ich kann mir vorstellen, wie riesengroß der Druck war, unter dem sie gestanden haben müssen.

Es gibt ein paar Fotos von der Feier, bei deren Anblick ich immer wieder erschrocken zusammenzucke, weil ich zu der Zeit so dick war, aber sonst weiß ich nicht mehr viel von diesem Tag.

Trotzdem war Kirche für mich ein wichtiger Ort. Ich habe dort viel Offenheit und Unterstützung erlebt und mich angenommen gefühlt, Stinkefüße hin oder her. Deshalb war ich nach der Erstkommunion auch als Ministrant aktiv, und gerade in der schwierigen Übergangszeit nach dem Auszug von zu Hause und dem Einzug ins Jugendhaus habe ich mich in der Ministrantengruppe und auch bei den Betreuern dort aufgehoben gefühlt und wurde wirklich unterstützt. Ich würde mich heute nicht als gläubig bezeichnen, aber die Kirche war für mich gerade in dieser anstrengenden Phase ein sehr wichtiger Ort der echten, wahrhaftigen Gemeinschaft und Geborgenheit. Die Menschen, die ich dort kennenlernte, haben mir sehr geholfen, meine belastenden frühen Erlebnisse gut zu verarbeiten.

Ein Geschenk für Papa

Auch aus der Zeit in der Grundschule sind viele Erlebnisse aus meinem Gedächtnis verschwunden. Aber an eine Episode erinnere ich mich seltsamerweise glasklar. Damals muss ich etwa zehn Jahre alt gewesen sein.

Ich hatte Taschengeld bekommen. Zu dieser Zeit bekam ich fünf bis acht Euro im Monat – keine Riesensumme, aber das konnte ja auch gar nicht anders sein. Den größten Teil dieses Geldes habe ich nicht einfach so ausgegeben, sondern gespart.

Ich hatte nämlich ein konkretes Ziel: Ich wollte meinem Vater ein Geburtstagsgeschenk kaufen. Mir war es ein ganz großes Bedürfnis, ihm eine Freude zu machen, und ich wusste auch genau, dass mir das mit so einem Geschenk gelingen würde. Es ist immer großartig und macht eine Riesenfreude, wenn jemand kommt und einem etwas schenkt, was er liebevoll ausgesucht hat. Dieses Gefühl kennt jeder. Und ich wollte meinem Vater genau dieses Gefühl ermöglichen. Schließlich war mir selbst in diesem jungen Alter intuitiv bewusst, dass er zum einen in einer äußerlich freudlosen Umgebung lebte. Ich hatte aber auch begriffen, dass es in seinem Inneren aufgrund seiner psychischen Krankheit zu vielen Zeiten sehr traurig und düster war.

Der Geburtstag ist ein besonderer Tag für alle Menschen in unserem Kulturraum. Und ich will es mal ganz drastisch sagen: Das gilt auch für »Hartzer-Familien«! Bei uns in der Familie war es so, dass wir uns sehr bemüht haben, an diesem Tag besonders friedlich miteinander umzugehen. Es gab die unausgesprochene Erwartung, dass der Geburtstag ein Tag der Freude sein soll, auf welche Weise auch immer.

Ich habe also so viel von meinem Taschengeld gespart, wie ich konnte, und dann bin ich losgezogen und habe meinem Vater drei Wimmelbildspiele gekauft. Das sind Spiele, bei denen es darauf ankommt, auf einem Bild mit unglaublich vielen Details und winzigen Einzelheiten bestimmte Gegenstände, Unterschiede, Fehler und so weiter zu finden. Meine Güte, war ich stolz! Ich hatte es geschafft, Geld übrig zu behalten, um einem anderen damit eine Freude zu bereiten. Das war ein unglaublich gutes Gefühl des Stolzes. Es war ein kleiner Triumph über unsere oft so aussichtslose und hoffnungslose Situation. Ich konnte etwas bewirken, wenn ich mich anstrengte! Und seine Freude über das Geschenk kam vielfach zu mir zurück. Für ihn war wohl das Tollste daran, dass jemand sich so viele Gedanken darüber gemacht hatte, wie er ihm eine Freude machen könnte.

Besuch in der Psychiatrie

Nicht nur mein Bruder war wegen seiner Schul- und Verhaltensprobleme eine Zeit lang in der Psychiatrie. Dort wurde die Diagnose ADHS gestellt, und von da an wurde er mit Medikamenten behandelt und außerdem in einer Tageseinrichtung, später in einer Wohngruppe betreut. Er ging dann auch auf eine Förderschule. Es war schon damals sehr schwer für mich, mit anzusehen, wie eine einzige Diagnose, für die mein Bruder nichts kann, sein Leben radikal veränderte. Wie diese Diagnose unsere Lebenswege voneinander getrennt hat. Heute führen wir zwei vollkommen unterschiedliche Leben. Mein Bruder bekam mit dieser Diagnose ein Etikett aufgeklebt, das häufig mit den Merkmalen Aufmerksamkeitsschwäche, Hyperaktivität und übermäßige Impulsivität verbunden wird. Seine anderen Eigenschaften – große Leidenschaft für eine Sache, wahre und ehrliche Authentizität, starke Empathie, unglaubliche Kreativität und Spontaneität sowie großes Anpassungsvermögen – traten dagegen in den Hintergrund. Mir hat das für ihn sehr wehgetan. Gesellschaftliche Ignoranz und Vorurteile haben den Weg meines Bruders bestimmt und ihm das Leben schwer gemacht. Niemand hat mehr so recht an ihn geglaubt, und das hat sein Selbstvertrauen stark beeinträchtigt. Mich macht das heute wirklich zornig.

Auch meine Eltern mussten zu verschiedenen Zeiten wegen psychischer Probleme stationär behandelt werden. Das habe ich als Kind natürlich mitbekommen. Und das Belastendste daran – die Erinnerung ist heute noch wirklich schwer auszuhalten – waren die Besuche in der Psychiatrie.

Als meine Mutter wegen ihrer Glücksspielsucht stationär aufgenommen wurde, war ich elf Jahre alt. Die Vorgeschichte dazu war die folgende: Ich hatte von meiner Patentante einen größeren Geldbetrag geschenkt bekommen. Nein, das ist eigentlich falsch ausgedrückt: Für mich waren diese fünfzig Euro kein »größerer Geldbetrag«, sondern ein Vermögen! Richtig viel Geld war das!

Eigentlich gehörte dieses Geld mir, und ich hätte damit tun können, was ich wollte. Das habe ich dann auch gemacht, aber auf meine Art. Ich war nun mal derjenige in der Familie, der ständig versuchte, alles irgendwie zusammenzuhalten. Und Tatsache war: Wir hatten nichts mehr zu essen. Der Kühlschrank war leer. Ich habe meiner Mutter also die fünfzig Euro gegeben und ihr gesagt, sie solle dafür Lebensmittel einkaufen. Wenn ich mir das heute in der Rückschau überlege, kriege ich eine Gänsehaut. Ich meine, ich war elf! Und ich hatte keinen anderen Gedanken im Kopf, als wie wir für unsere Familie etwas zu essen bekommen könnten.

Meine Mutter nahm das Geld … und verschwand. Als sie am Abend immer noch nicht zurück war, fragten wir uns voller Sorge, ob ihr vielleicht etwas passiert war. Aber wir ahnten schon, was los war. Mein Vater hatte meine Mutter schon öfter aus einer Lotto-Annahmestelle am anderen Ende der Stadt abgeholt. Es war eine Tankstelle am Ortsausgang Richtung Mannheim, wo man auch Lotto spielen konnte.

Und tatsächlich: Da war meine Mutter hingefahren und hatte im Laufe des Tages unser gesamtes Geld verspielt. Nicht nur meine fünfzig Euro, sondern auch sämtliches Geld, das sonst noch im Haus gewesen war und das für den gesamten Monat hätte reichen sollen.

Das war der GAU. Mein Vater war natürlich stinksauer. Und ich war einfach nur bitter enttäuscht und tief, tief traurig. Tatsächlich machte ich mir sogar Vorwürfe, weil ich ihr mein Geld gegeben hatte. War das ein Fehler gewesen? Hätte ich ahnen können, was sie damit anstellen würde? Vielleicht ja, vielleicht nein. Aber ich war ein Kind! Ich hatte es nur gut gemeint. Und so ganz nebenbei: Ich hatte Hunger!

Nach dieser Sache ist meine Mutter freiwillig in die Psychiatrie gegangen. Sie hat wohl selbst gemerkt, dass es so nicht weiterging und dass sie Hilfe brauchte.

Als ich sie wenig später dort zum ersten Mal besuchte, war ich so erschüttert, dass mir das Bild bis heute klar und deutlich vor Augen steht. Sie stand unter Beruhigungsmitteln, ihre Pupillen waren klein, und sie war geistig abwesend, als lebte sie in einer anderen Welt. Ihr Anblick hat mich tief verstört. Ich wünsche dieses Erlebnis keinem Kind der Welt.

Nachdem meine Mutter entlassen worden war, geriet mein Vater in eine tiefe depressive Phase. Ihn habe ich dann in der psychosomatischen Klinik besucht, später auch noch einmal in der Psychiatrie. Da habe ich allerdings schon im Jugendhaus gelebt. Ich will dazu nur so viel sagen: Man gewöhnt sich nicht daran. Es bleibt schrecklich, auch wenn man mit solchen Erfahrungen häufiger konfrontiert ist.

Die Erfahrung, dass meine Eltern krank sind und weder für sich noch für uns Kinder richtig sorgen können, hat mich sehr geprägt. Bis heute bin ich damit beschäftigt, das intuitive Wissen geistig aufzuarbeiten, dass sie in einem Teufelskreis aus psychischer Krankheit und Armut feststeckten und bis heute stecken. Damals habe ich es nur gespürt, heute versuche ich, das ganze Thema mehr und mehr auch intellektuell zu durchdringen und mir klarzumachen, wie diese Situation entstehen konnte. Ihre psychischen Krankheiten machen es ihnen unmöglich, einer regelmäßigen Arbeit – oder besser gesagt, überhaupt einer Arbeit – nachzugehen. Diese bedrückende Situation der Langzeitarbeitslosigkeit macht es ihnen wiederum unmöglich, der Armut zu entkommen. Und die Armut mit all ihren Folgen wie Strukturlosigkeit, Apathie, Überforderung und Hoffnungslosigkeit führt dazu, dass sich psychische Krankheiten verstärken – wenn sie nicht sogar durch die Armut erst ausgelöst werden. Dazu komme ich später noch ausführlicher.

Wie auch immer: Für mich hatten diese Erfahrungen dramatische Folgen. Nicht nur, dass ich als kleiner Junge versucht habe, unsere Familie selbst zu managen, und damit ständig gestresst und überfordert war. Nicht nur, dass ich mit meinem Bemühen, einen letzten Rest von Normalität aufrechtzuerhalten, ständig am Rand des Scheiterns und letztlich der Katastrophe stand. Nein, viel schlimmer: Diese Erfahrung hat in mir ganz tief das Gefühl eingepflanzt, dass ich mich letztlich auf niemanden verlassen kann. Nur auf mich selbst. Bis heute tue ich mich schwer damit, mich auf andere zu verlassen und Hilfe anzunehmen, geschweige denn einzufordern. Dabei weiß mein Kopf ganz genau, dass ich das tun muss, wenn ich etwas erreichen will.

Kinderarmut in Deutschland

Kinderarmut in Deutschland ist ein Riesenthema, über das viel zu wenig gesprochen und geschrieben wird. Wenn es stimmt, dass man die Menschlichkeit einer Gesellschaft daran erkennt, wie sie ihre schwächsten Mitglieder behandelt, dann sieht es mit der Menschlichkeit in Deutschland ziemlich düster aus. Das kann man schon an ein paar nüchternen Zahlen ablesen.

In Deutschland sind den seriösen Schätzungen des Deutschen Kinderhilfswerks zufolge 14 Prozent der Kinder von Armut betroffen, wobei es große regionale Unterschiede gibt, auch Unterschiede zwischen städtischen und ländlichen Gebieten. Knapp sechs Millionen Kinder leben in Haushalten, in denen die Eltern kein existenzsicherndes Jahreseinkommen beziehen – also kein Einkommen, das über dem Regelsatz des ALG II/Hartz IV liegt. Das sind ein Drittel aller kindergeldberechtigten Eltern – eine erschreckende Zahl. Noch erschreckender ist die Feststellung, dass sich in Deutschland seit 1965 die Kinderarmut alle zehn Jahre verdoppelt hat. Über die Gründe wird gestritten, es gibt die verschiedensten Theorien darüber. Sicher weiß man aber, dass Familien mit nur einem Elternteil ein hohes Armutsrisiko haben. Familien, in denen die Eltern keinen Schul- oder Berufsabschluss haben, sind ebenfalls besonders häufig betroffen. Und man weiß, dass es Familien gibt, in denen die Armut sozusagen von einer Generation zur anderen weitergereicht wird.

Ich kann das in meiner Familie deutlich sehen, wenn auch nicht an meiner eigenen Situation: Meine Eltern, die aufgrund ihrer psychischen Probleme kaum erwerbstätig waren, geben ihre Armut mitsamt allen Folgen an meinen Bruder weiter. Es ist bedrückend, das mitzuerleben.

Eine Studie der Bertelsmann Stiftung von 2017* hat entsprechend festgestellt, dass Kinder, die in Armut aufwachsen, auch lange arm bleiben. Etwa 21 Prozent aller Kinder in Deutschland, so diese Studie, leben mindestens fünf Jahre lang durchgehend oder immer wieder einmal in Armut. Wenn eine Familie also einmal abrutscht, hat sie es in diesem Land schwer, wieder auf die Beine zu kommen und sich selbst versorgen zu können.

Auf Wikipedia wird Kinderarmut als »Unterversorgung in wichtigen Lebensbereichen wie Wohnen oder Ernährung« definiert. Weiter heißt es: »Sie kann zu eingeschränkten Entwicklungschancen und schlechteren Bildungschancen bei den betroffenen Kindern führen.« Das ist eine gute Definition, weil sie beides umfasst: die schlechtere Versorgung mit materiellen Gütern und die

* Für diese und andere Studien, die hier erwähnt werden, finden sich die Quellenangaben am Ende des Buchs.

schlechteren Chancen, also den sozialen Aspekt von Armut. Beides habe ich erlebt, und beides muss man zusammen betrachten, wenn man wirklich etwas gegen die Armut von Kindern in diesem Land unternehmen will. Dazu mehr im zweiten Teil des Buchs.

In meiner Heimatstadt Kaiserslautern liegt die Kinderarmutsrate bei 23,4 Prozent. Es leben also rund 3250 Kinder und Jugendliche in Kaiserslautern, die in Armut aufwachsen. Diese Kinder haben nicht nur schlechtere Chancen, sie tragen außerdem Verantwortung, sehr große Verantwortung in ihren Familien. Ich betrachte Kaiserslautern als Durchschnittsstadt. Wir könnten uns auch die Zahlen in Berlin anschauen, ebenso in Bremen und anderen Ballungszentren, und würden feststellen, dass die Kinderarmutsrate nicht viel geringer ist. Gerade Ballungsgebiete, die von Strukturschwäche oder einem schwierigen Strukturwandel betroffen sind (wie etwa Teile Nordrhein-Westfalens, aber auch meine Heimatstadt), haben ein besonders großes Problem mit Kinderarmut.

Diese Kinder kennen praktisch vom Beginn ihres Lebens an keine Teilhabe am gesellschaftlichen Leben. Sie müssen auf sehr vieles verzichten, was andere Kinder als selbstverständlich ansehen. Das betrifft nicht zuletzt soziale und kulturelle Aktivitäten. Diese Kinder können eben nicht einfach mal so Freunde zu sich nach Hause zum Essen einladen. Sie können nicht mit ihrer Familie auswärts essen gehen, ins Kino, Theater oder auf ein Konzert. Und an eine gemeinsame Ferienreise mit der Familie ist in den allermeisten Hartz-IV-Familien gar nicht zu denken.

Diese Kinder gewöhnen sich aber auch früh daran, Sorge zu tragen, sozial isoliert zu sein, zurückzustecken, Ausreden für soziale Nichtteilhabe zu finden. Sie haben alle eins gemeinsam: Sie müssen viel zu früh erwachsen werden. Dementsprechend haben nicht nur die Schulen viel zu tun, sondern ganz erheblich auch die Kommunen, in erster Linie also das Jugendamt, die vielen Sozialarbeiter*innen ebenso wie die Jugendhilfeeinrichtungen. Sie sind schon mit der bloßen Zahl der »Fälle« überfordert. Kein Wunder, dass immer wieder Geschichten durch die Zeitungen geistern, wo die Mitarbeiter*innen des Jugendamtes nicht rechtzeitig reagiert haben, nicht rechtzeitig reagieren konnten, bevor es für ein Kind richtig schlimm wurde. Solange sich am Verhältnis zwischen der Zahl der Mitarbeiter*innen und der Zahl der Fälle nichts ändert, wird sich auch an diesen Katastrophen nichts ändern. Es ist ein Teufelskreis, der häufig vollkommen ausweglos erscheint.

Was Hartz IV mit Kinderarmut zu tun hat

Um zu erklären, warum Hartz IV die Kinderarmut in Deutschland nicht behoben, sondern verschärft hat, muss ich etwas weiter ausholen. Und ich warne auch gleich vor: Es kann sein, dass es an der einen oder anderen Stelle etwas polemisch wird.

Eigentlich sollte die fünfzehnköpfige, stark von der Arbeitgeberseite dominierte »Kommission für moderne Dienstleistungen am Arbeitsmarkt«, die im Februar 2002 vom ersten Kabinett unter dem SPD-Bundeskanzler Gerhard Schröder eingesetzt wurde, mit Armutsbekämpfung überhaupt nichts zu tun haben. Sie hatte den Auftrag, Maßnahmen zu entwickeln, um die Arbeitsmarktpolitik in Deutschland effizienter zu gestalten. Die Leitung der Kommission übernahm der VW-Personalvorstand Peter Hartz – daher der landläufige Name sowohl der Kommission als auch der Gesetze, die sie aufsetzte.

Im Laufe der Zeit entwickelte die Kommission dann aber, intensiv unterstützt von der Bertelsmann Stiftung, dreizehn »Innovationsmodule«, die alle darauf hinausliefen, die Eigeninitiative von Arbeitslosen stärker einzufordern. »Fördern und fordern« lautete das nur allzu bekannte Motto dazu.

Was das Fordern anging, fiel der Kommission allerdings nicht viel mehr ein als Sanktionen – oder genauer gesagt: Strafen. Wer eine drohende Arbeitslosigkeit nicht unverzüglich meldet, um eine rasche Wiedervermittlung anzustoßen, dem drohen Abzüge beim Arbeitslosengeld bzw. Sperrfristen. Wer eine angebotene Arbeit ablehnt, muss nachweisen, dass sie nicht zumutbar ist, sonst gibt es Abzüge beim Arbeitslosengeld. Wer die Beschäftigung in einer Leiharbeitsfirma ablehnt, muss ebenfalls mit Abzügen rechnen. Und so weiter. Was ursprünglich mit der Maßgabe angefangen hatte, im Interesse von Arbeitssuchenden die Effizienz der Vermittlung zu steigern, lief auf eine Erhöhung bürokratischer Hürden und auf ein kompliziertes System von Sanktionen hinaus.

Das sogenannte Hartz-IV-Gesetz vom (ausgerechnet) 24. Dezember 2003 sorgte für eine Zusammenführung von Arbeitslosenhilfe und Sozialhilfe für Erwerbsfähige zum Arbeitslosengeld II. Dass dabei das Arbeitslosengeld II, das die alte Arbeitslosenhilfe ersetzte, auf das Niveau der Sozialhilfe abgesenkt wurde, war von den beiden Regierungsparteien SPD und Bündnis 90/Die Grünen in ihren Wahlprogrammen für die Bundestagswahl 2002 ausdrücklich abgelehnt worden. Trotzdem geschah genau das. Nur 2 Prozent der Bundestagsabgeordneten stimmten gegen das Gesetz.

Was heute meistens mit »Hartz-IV« bezeichnet wird, ist genau dieses Arbeitslosengeld II (ALG II). Diese steuerfinanzierte Transferleistung bekommt, wer keinen Anspruch (mehr) auf das Arbeitslosengeld I hat, was in der Regel nach einem Jahr Arbeitslosigkeit (bei Arbeitslosen über achtundfünfzig Jahren sind es zwei Jahre) der Fall ist. Auch hier stand der Grundsatz »Fördern und fordern« im Mittelpunkt. Es wurde von Anfang an – anders als bei der alten Sozialhilfe – betont, dass Menschen, die ALG II bekommen, alles tun müssen, um ihre Hilfsbedürftigkeit so schnell wie möglich zu beenden. Dass dies in vielen Fällen gar nicht machbar ist – weil sie von ihrem Bildungs- oder Ausbildungsstand oder von ihrer körperlichen und psychischen Gesundheit her dazu nicht in der Lage sind –, ließ man netterweise unter den Tisch fallen.

Dieses Gesetz war ein Kernbestandteil der sogenannten Agenda 2010. Und es war von Anfang an unbeliebt. Es steht für ein System, das so tut, als wären Arbeitslosigkeit und Armut das Ergebnis persönlichen Versagens. Und es steht für ein System, das arbeitslose Menschen binnen kürzester Zeit in eine Abwärtsspirale schickt, aus der sie sich oft nicht mehr befreien können: Nach einem Jahr Arbeitslosigkeit rutscht man aus dem Arbeitslosengeld auf Hartz IV ab. Das bedeutet nicht nur weniger Geld zum Leben, sondern auch weniger Motivation, weniger Anerkennung, weniger Chancen und dafür mehr Stigma sowie mehr Desozialisierung.

In Zeiten guter Beschäftigungssituation, wie wir sie derzeit (noch) erleben, spürt man das nicht so sehr. So beruhigten sich die Proteste von Gewerkschaften und Wohlfahrtsverbänden auch bald, weil man den Rückgang der Arbeitslosigkeit ab 2006 auf das Reformprojekt zurückführte.

Trotzdem steht Hartz IV bis heute als hässliches Gespenst über der SPD. Schließlich war es ein SPD-Kanzler, der diese sogenannte Reform in Kraft setzte. Und die Kritik kommt von allen Seiten. Gewerkschaften und Wohlfahrtsverbände kritisieren den diskriminierenden Umgang mit Arbeitslosen, als wären diese an ihrer Situation selbst schuld. Neoliberale Kritiker finden hingegen, das Hartz-Konzept gehe noch lange nicht weit genug und stelle immer noch zu viel »soziale Hängematte« zur Verfügung.

Man fragt sich heute mit Recht, was das Ganze eigentlich gebracht hat außer Kinderarmut, Diskriminierung und schlechten Wahlergebnissen für die SPD. Denn eine Reduzierung der Sozialausgaben, die selbstverständlich auch im Raum stand, haben die Hartz-Gesetze nicht gebracht. Für das Jahr 2005 hatte man mit 14,6 Milliarden Euro Sozialausgaben gerechnet. Stattdessen stiegen die Ausgaben auf 25,6 Milliarden. Und sie sind trotz guter Konjunktur seitdem weiter gestiegen.

Was bekommt denn nun ein »Hartzer« (wir sprechen hier von etwa sechs Millionen Menschen in Deutschland) tatsächlich? Seit dem 1. Januar 2019 liegt der Regelsatz für die erste Person in einem Haushalt bei 424 Euro. Der/die Partner*in bekommt 382 Euro, Kinder je nach Alter zwischen 245 und 322 Euro (Kindergeld wird als Einkommen auf das ALG II angerechnet). Hinzu kommen die Kosten für Unterkunft und Heizung, je nach Wohnort mit sehr unterschiedlichen Obergrenzen (die große Probleme bereiten, weil die Mietspiegel realitätsfremd sind und es in vielen Städten große Mühe bereitet, eine zumutbare Wohnung zu finden, deren Miete unterhalb der Obergrenze liegt). Kranken- und Pflegeversicherung werden übernommen, Beiträge zur Rentenversicherung werden nicht gezahlt. In bestimmten Fällen (beispielsweise für Alleinerziehende, Schwangere, Menschen mit Behinderung) gibt es Sonderleistungen.

Wenn man bedenkt, dass das durchschnittliche Nettoeinkommen in Deutschland derzeit bei ca. 1900 Euro liegt und dass kaum noch eine Familie mit einem Einkommen zurechtkommt, wird klar, wie deprimierend niedrig diese Sätze sind. Sie decken den dringendsten Bedarf zum Überleben. Das war es dann aber auch schon.

Einige Studien zum Thema Kinderarmut

Von der Studie der Bertelsmann Stiftung 2017 zum Thema Kinderarmut habe ich schon gesprochen. Sie wird in diesem Buch noch einige Male zitiert werden. Aber es gibt noch ein paar andere, vielleicht weniger bekannte Untersuchungen, die sich mit dem Thema beschäftigen. Ich möchte sie hier erwähnen, weil sie zeigen, dass ich nicht nur aufgrund eigener Erfahrungen über Kinderarmut schreibe. Die folgenden Studien zeigen aber auch: Wer vor dem Thema Kinderarmut in Deutschland nicht die Augen verschließen will, der findet reichlich Material, um sich damit zu beschäftigen.

Die 4. World Vision Kinderstudie

Die 4. World Vision Kinderstudie von 2018 ist insofern etwas Besonderes, als sie tatsächlich Kindern im Alter von sechs bis elf Jahren eine Stimme gibt. Sie macht nach eigener Aussage deutlich: »Kinder sind Expertinnen und Experten ihrer Lebenswelten.«

2500 Kinder wurden dabei zu den verschiedensten Themen befragt. Ich greife hier nur die Aussagen zum Thema Kinderarmut heraus und fasse sie zusammen. Zunächst aber noch ein ganz wichtiges Zitat, das im Grunde die Kernaussage vorwegnimmt:

»Auch in der neuen Kinderstudie bleibt auffällig, dass sich die ›Herkunftsschicht‹ noch immer wie ein roter Faden durch die Lebenssituation der Kinder und die damit verbundenen Teilhabechancen zieht ... Etwa ein Fünftel der Kinder muss ... mit Armut leben und bleibt deshalb im Alltag an vielen Stellen ausgeschlossen. Diese Kinder sind vielfältig benachteiligt: in der Schule, in der Freizeit und auch im Freundeskreis, obwohl sie selbst ›unverschuldet‹ in diese prekäre Lage gekommen sind und in der Regel noch über keine eigenen hinreichenden Möglichkeiten verfügen, dieser zu entkommen.«

Im Zusammenhang mit Kinderarmut stellt die World-Vision-Studie fest:

- Während in allen anderen Herkunftsschichten der befragten Kinder – verglichen mit früheren Auflagen der Studie – ein Trend nach oben zu beobachten war, ändert sich an dem Anteil der besonders benachteiligten Kinder nichts. 9 Prozent erscheinen unverändert als »abgehängt«.
- Kinder der Unterschicht und unteren Mittelschicht besuchen deutlich seltener ein Gymnasium (2 Prozent und 5 Prozent) als Kinder der oberen Mittelschicht und Oberschicht (13 Prozent und 24 Prozent).
- 72 Prozent der Kinder aus der Oberschicht streben das Abitur als Schulabschluss an, aber nur 17 Prozent der Kinder aus der Unterschicht. Dabei spielt die finanzielle Situation der Familie eine viel geringere Rolle als der Bildungshintergrund der Eltern.
- Kinder aus der Unterschicht zeigen ein relativ großes Interesse an Ganztagsschulen und ähnlichen Betreuungsangeboten. Sie sagen ausdrücklich, dass sie darin einen Ausgleich zu der mangelnden Unterstützung durch die Eltern sehen.
- Kinder aus einkommensarmen Familien haben deutlich weniger Möglichkeiten zu einer vielseitigen Freizeitgestaltung. Sie sind seltener Mitglied in Vereinen und außerschulischen Gruppen, sind in ihrer Freizeit viel weniger aktiv und lesen deutlich weniger. Der Medienkonsum (Computerspiele, YouTube und so weiter) ist dagegen deutlich höher als bei Kindern aus Familien mit Durchschnittseinkommen oder aus wohl-

habenden Familien. Und sie finden sich damit nicht selbstverständlich ab: Der Anteil derer, die mit ihrer Freizeitgestaltung unzufrieden sind, ist bei Kindern aus armen Familien wesentlich höher.

- Es gibt einen engen Zusammenhang zwischen einer vielseitigen Freizeitgestaltung und der Zahl der Freunde. Kinder aus armen Familien haben deutlich weniger Freunde, einfach dadurch, dass sie ihre freie Zeit weniger abwechslungsreich gestalten können. Hier wird der bedrückende Zusammenhang von Kinderarmut und sozialer Isolation bestätigt.
- Auch bei der Frage der Selbstbestimmung sind Kinder aus armen Familien benachteiligt. Sie können viel weniger über die Gestaltung ihres Alltags verfügen als Kinder aus wohlhabenden Familien. Das führt zu weniger Selbstorganisation, schlechteren Leistungen in der Schule, weniger Selbstbewusstsein – und am Ende zu weniger Resilienz.
- Fast jedes fünfte Kind hat bei der Befragung angegeben, bereits Erfahrungen mit Ausgrenzung und Mobbing gemacht zu haben. Der Anteil steigt bei Kindern aus armen Familien deutlich an, und zwar vor allem in der Schule (32 Prozent).
- Kinderarmut wird von den Betroffenen deutlich also solche empfunden. Die Behauptung, Kinder würden eher mit Armut zurechtkommen, weil sie »es ja nicht anders kennen«, trifft also nicht zu. Romantisierende Vorstellungen von Kindern, die in jeder Situation fröhlich spielen und mit beeindruckender Widerstandskraft allen negativen Einflüssen trotzen, sind weitgehend von Wunschdenken geprägt. Kinder spüren

sehr deutlich, wenn in ihrer Familie das Geld nicht reicht, um Urlaubsreisen zu machen, ins Freibad oder ins Kino zu gehen. Und selbst das Argument, in unserem Sozialsystem müsse niemand hungern, wird durch die Aussage von immerhin einem Prozent der befragten Kinder entkräftet, das nicht täglich ein warmes Essen erhält. In Familien, in denen beide Eltern nicht erwerbstätig sind, berichten 40 Prozent der Kinder über konkrete Armutserfahrungen: Probleme bei der Teilnahme an Schulveranstaltungen, weniger Möglichkeiten der Freizeitgestaltung und so weiter. 18 Prozent dieser Kinder klagen über mangelnde Zuwendung durch ihre Eltern.

Insgesamt kommt die Studie zu dem gleichen bedrückenden Schluss wie ich selbst: Kinder aus armen Familien sind ganz erheblich von gesellschaftlicher Teilhabe ausgeschlossen. Und ihnen werden auf den verschiedensten Ebenen die Mittel vorenthalten, sich aus der Armut zu befreien. Sie haben weniger Chancen, weniger Perspektiven ... und weniger Hoffnung.

Die AWO-Langzeitstudie 1997 bis 2020

Auch die Arbeiterwohlfahrt – die Wohlfahrtsorganisation, die besonders eng mit der Sozialdemokratie und den DGB-Gewerkschaften verbunden ist – hat eine Studie ins Leben gerufen, die sich unter anderem mit Kinderarmut in Deutschland beschäftigt. Die Studie mit dem langen Titel *AWO-ISS-Studie zu Lebenslagen und Lebenschancen bei Kindern und Jugendlichen* wird vom Institut für Sozialarbeit und Sozialpädagogik (kurz ISS) in Frankfurt durchgeführt und läuft schon seit 1997. Sie ist als Langzeitstudie angelegt (noch bis 2020, sie ist also noch nicht abgeschlossen) und beschäftigt sich schwerpunktmäßig mit der Lebenssituation von Kindern im Vorschulalter. Kinder, die in armen Familien aufwachsen, werden dabei ganz besonders intensiv in den Blick genommen. Das unterscheidet diese Studie auch von der World-Vision-Studie.

Diese Erhebung ist mir besonders wichtig, denn sie bringt sehr differenzierte Ergebnisse, die meinen eigenen Erfahrungen fast eins zu eins entsprechen, und räumt mit Vorurteilen auf. Einige davon will ich hier zusammenfassen.

- Die wichtigste Aussage der Studie gleich vorweg: Kinderarmut ist in Deutschland verbreiteter als allgemein angenommen. Ihre Folgen müssen früher und umfassender wahrgenommen werden, um wirksam und präventiv dagegen vorgehen zu können. Der AWO-Bundesvorsitzende Wolfgang Stadler sagt dazu in einer Veröffentlichung aus dem November 2019: »Was es … braucht, ist eine stärker präventive Ausrichtung – einen Paradigmenwechsel, der Armut im Vorhinein verhindert, statt ausschließlich an individuellen Armutssymptomen herumzudoktern, die das strukturelle Problem nicht lösen. Die Studie ist ein politischer Auftrag! Uns kann es nicht zufriedenstellen, wenn in Deutschland in jedem fünften Kinderzimmer die Armut mitspielt. Damit verwehren wir jedem fünften Kind legitime Ansprüche auf Wohlergehen, Anerkennung und Zukunftschancen. Wir fordern die Einführung einer Kindergrundsicherung, einen Ausbau der sozialen Infrastruktur, Investitionen in Bildung sowie eine gezielte Unterstützung und Förderung junger Menschen beim Übergang in Ausbildung und Arbeit. Zudem müssen die gesellschaftlichen Rahmenbedingungen für gute und existenzsichernde Arbeit weiter verbessert werden, um Einkommens- und Familienarmut wirkungsvoll zu bekämpfen.«

- Kinderarmut ist das Ergebnis eines zu geringen Familieneinkommens, aber diese Definition reicht bei Weitem nicht aus. Denn Kinderarmut ist eine Mischung aus materieller und emotionaler Unterversorgung, mangelnden Entwicklungschancen und sozialer Ausgrenzung.
- Kinder aus armen Familien haben deutlich schlechtere Chancen auf ein gutes Aufwachsen. Auch ihre Zukunftschancen sind wesentlich schlechter als bei Kindern aus nicht armen Familien.
- Kinder spüren Armut. Sie nehmen ihre Situation deutlich wahr und fühlen sich mit zunehmendem Alter immer stärker benachteiligt.
- Sonstige Faktoren, die die Entwicklung von Kindern betreffen (Muttersprache, Geschlecht, Migrationshintergrund), werden durch Armut verstärkt. Andere Benachteiligungen werden also durch Armut noch verschärft.
- Fast alle armen Eltern unternehmen große Anstrengungen, um ihre eigene schwierige Lebenssituation und die ihrer Kinder zu verbessern. In vielen Fällen sind diese Anstrengungen aber erfolglos, weil die Rahmenbedingungen – fehlende Ausbildung, fehlende

Kinderbetreuung, um nur zwei Beispiele zu nennen – einen Erfolg unmöglich machen.

- Die professionelle, staatliche Förderung von und Hilfe für Kinder aus armen Familien zeigt deutliche Schwachstellen. Hier besteht also politischer Handlungsbedarf.
- Armut setzt einen »immer schneller werdenden Fahrstuhl nach unten in Gang«. Erfolgreiche Bildungswege bleiben armen Kindern weitgehend verschlossen, die Benachteiligung, zum Beispiel auf dem Gebiet der Sprachfähigkeit, beginnt bereits vor der Kindergartenzeit und setzt sich während der gesamten Schullaufbahn fort. Auch die Bewertung schulischer Leistungen durch die Lehrer*innen ist – bei objektiv gleichen Leistungen – bei armen Kindern schlechter als bei nicht armen.

Aus diesen Erkenntnissen ergeben sich Forderungen der Arbeiterwohlfahrt, die ich nur unterstreichen kann:

- Die Förderung von Kindern mit ungleichen Bildungschancen muss von frühester Kindheit an vorangetrieben werden. Dafür sind große Investitionen nötig. Sie müssen pro Kind höher sein, um einen Ausgleich schlechter Chancen zu schaffen.
- Die Betreuung kleiner Kinder und ihre individuelle Förderung muss verstärkt werden. Auch die Tageseinrichtungen für Kinder müssen gezielt ausgebaut und weiterentwickelt werden.
- Während der gesamten Schullaufbahn brauchen Kinder und Jugendliche aus armen Familien eine verstärkte individuelle Begleitung und Unterstützung.

- Auf die immer noch praktizierte frühe Aufteilung der Kinder auf verschiedene Bildungswege und Schulzweige muss unbedingt verzichtet werden.
- Und um armen Familien in Deutschland endlich die Wertschätzung zukommen zu lassen, die sie verdienen, sollte der Begriff »sozial Schwache« für einkommensarme Familien nicht mehr benutzt werden.

Zu diesem letzten Punkt noch ein Zitat des AWO-Präsidiumsvorsitzenden Wilhelm Schmidt: »Diese ›sozial Schwachen‹ sind alles andere als sozial schwach. Von den meisten der in der Untersuchung befragten ›armen‹ Eltern wird eine nur schwer vorstellbare Stärke verlangt, ihre Situation täglich zu bewältigen und für ihre Kinder zu sorgen.« Wohl wahr, Herr Schmidt. Gut, dass das mal jemand – ein ehemaliges Mitglied des Deutschen Bundestages zumal – so deutlich sagt. Ich möchte aus eigener Erfahrung noch ergänzen: Auch von den Kindern wird eine nur schwer vorstellbare Stärke verlangt. Armut ist unglaublich anstrengend. Eine unbeschwerte Kindheit bleibt dabei auf der Strecke.

Der Kinderreport 2018

Jedes Jahr bringt das Deutsche Kinderhilfswerk den »Kinderreport« heraus. Diese Organisation, die sich seit ihrer Gründung 1972 intensiv für die Förderung von Kinderrechten in Deutschland einsetzt, führt dazu eine repräsentative Umfrage durch, bei der etwa ein Drittel der Befragten Kinder und Jugendliche sind. Neben allgemeinen Fragen zum Thema Kinderrechte in Deutschland hat der Report jedes Jahr ein Schwerpunktthema.

Beim Kinderreport 2018 (die Umfrage dazu fand Ende 2017 statt) war dieses Schwerpunktthema »Kinderarmut in Deutschland«. Kinderarmut spielt in der Befragung zwar immer eine Rolle, aber diesmal wurde unter anderem gefragt, wie die Aktivitäten von Staat und Gesellschaft, um Kinderarmut zu beheben, bewertet werden und welche Maßnahmen die Befragten für sinnvoll halten. Zusätzlich wurde – ein interessanter Punkt! – gefragt, ob man bereit sei, für eine wirkungsvolle Bekämpfung von Kinderarmut in Deutschland mehr Steuern zu zahlen. Es lohnt sich also, auch diesen Report noch genauer in den Blick zu nehmen.

Die Ergebnisse in der Zusammenfassung:

- Kinderarmut wird stark als Problem wahrgenommen. Mehr noch: Eine überwiegende Mehrheit von etwa drei Vierteln (!) der Befragten – und zwar Erwachsene und Kinder gleichermaßen – ist der Ansicht, dass noch viel zu wenig getan wird, um Kinderarmut wirksam zu bekämpfen.
- Fast alle Befragten sehen das zu geringe Familieneinkommen als Hauptgrund für Kinderarmut an. Aber mehr als zwei Drittel sind auch der Ansicht, dass Kinderarmut noch weitere Ursachen hat: die mangelnde Aufmerksamkeit der Politik auf dieses Thema, die zu geringe Unterstützung von alleinerziehenden Eltern und – ganz zentral – die zu geringe Unterstützung armer Kinder in Sachen Bildung. Fehlende Bildungschancen für arme Kinder sieht eine ganz große Mehrheit als Ursache von Kinderarmut. Und mehr als zwei Drittel sind der Ansicht, dass Deutschland sich eine

bessere Unterstützung armer Kinder auf allen Ebenen durchaus leisten könnte.

- Entsprechend stark ist der Bereich Bildung dann auch bei den sinnvollen Maßnahmen gegen Kinderarmut vertreten. Lehrmittelfreiheit für arme Kinder, kostenlose Teilhabe an Bildung, Kultur und Sport, kostenlose Ganztagsbetreuung in Schulen und Kitas, kostenfreies Essen in Schulen und Kitas sowie mehr Betreuung und Förderung durch Fachkräfte in den Schulen stehen ganz oben auf der Liste.
- Und wären denn nun die Befragten auch bereit, beispielsweise durch höhere Steuern zu diesen Maßnahmen beizutragen? Ja, sagen fast zwei Drittel. Spannend sind hier übrigens die Unterschiede zwischen den politischen Lagern. Bei Anhängern der Grünen und Linken war die Beteiligung mit 81 bzw. 74 Prozent am höchsten, gefolgt von SPD- und CDU/CSU-Anhängern mit 67 und 64 Prozent. Selbst unter den FDP-Anhängern zeigte immer noch eine Mehrheit von 61 Prozent Bereitschaft. Nur bei den Anhängern der AfD zeigte sich die Mehrheit nicht dazu bereit (46 Prozent). So viel zum Thema »AfD als Partei der kleinen Leute« …

Interessante Ergebnisse. Die Forderungen des Kinderhilfswerks ergeben sich ganz logisch daraus. Präsident Thomas Krüger sagte bei der Vorstellung des Kinderreports 2018:

»Der Kinderreport 2018 des Deutschen Kinderhilfswerks zeigt klar und deutlich, dass die Menschen in Deutschland Staat und Gesellschaft in der Pflicht sehen, entschiedener als bisher die Kinderarmut in unserem Land zu bekämpfen. Hier braucht es ein Gesamtkonzept, das mit ausreichenden finanziellen Mitteln ausgestattet ist und umfangreiche Reformen bündelt. Arbeitsmarkt- und Beschäftigungspolitik sind ebenso zu berücksichtigen wie Familien- und Bildungspolitik, Gesundheits- und Sozialpolitik sowie Stadtentwicklungs- und Wohnungsbaupolitik.«

Armut setzt Kinderrechte außer Kraft

Deutschland ist eins der reichsten westlichen Industrieländer, diesen banalen Satz wagt man ja schon fast nicht mehr aufzuschreiben. Fast ebenso banal ist die Feststellung, dass Deutschland zu den 196 Vertragsstaaten der UN-Kinderrechtskonvention gehört. Diese Konvention ist nämlich von mehr UN-Mitgliedsstaaten ratifiziert worden als jede andere. Ganz genau gesagt: von allen außer den USA. (Dass die USA sie nicht ratifiziert haben, ist ein Skandal besonderer Art. Es würde zu weit führen, darüber hier mehr zu schreiben. Eine Schande ist es allemal.)

Die UN-Kinderrechtskonvention hat ein generelles Ziel, das der Exekutivdirektor der UNICEF, Anthony Lake, einmal so formuliert hat: »Die zentrale Botschaft der Konvention lautet, dass jedes Kind einen fairen Start ins Leben verdient.«

Und hier kommen wir dem Problem der Kinderrechte in Deutschland auf die Spur. Denn obwohl die Konvention in Deutschland 1992 in Kraft getreten ist und obwohl danach ein »Nationaler Aktionsplan für ein kindergerechtes Deutschland« erarbeitet und in den Jahren 2005 bis 2010 auch ausgeführt wurde, sind wir von einer Verwirklichung der Kinderrechte noch weit entfernt.

Um es einmal ganz klar zu sagen: Die zehn Grundrechte, die in der UN-Kinderrechtskonvention als Mindeststandard formuliert wurden, sind in Deutschland mit wenigen Ausnahmen nicht verwirklicht.

Die zehn Grundrechte der Kinder lassen sich folgendermaßen zusammenfassen:

1. Gleichbehandlung und Schutz vor Diskriminierung aufgrund von Religion, Herkunft, Geschlecht
2. Recht auf einen Namen und eine Staatszugehörigkeit
3. Recht auf Gesundheit
4. Recht auf Bildung und Ausbildung
5. Recht auf Freizeit, Spiel, Erholung
6. Recht, sich zu informieren, sich mitzuteilen, gehört zu werden, sich zu versammeln
7. Recht auf Privatsphäre und eine gewaltfreie Erziehung im Sinne der Gleichberechtigung und des Friedens
8. Recht auf sofortige Hilfe in Katastrophen und Notlagen, auf Schutz vor Grausamkeit, Vernachlässigung, Ausnutzung und Verfolgung
9. Recht auf eine Familie, elterliche Fürsorge und ein sicheres Zuhause
10. Recht auf Betreuung bei Behinderung

Ich sage: Ich habe selbst erlebt und von vielen anderen Kindern und Jugendlichen erfahren, dass gerade für Kinder, die in einem schwierigen, einkommensschwachen familiären Umfeld aufwachsen, ein großer und wichtiger Teil dieser Rechte noch längst nicht verwirklicht ist. Dabei ist mir klar, dass Kinder in Deutschland im weltweiten Vergleich immer noch gut dastehen, was ihre Grundversorgung angeht. Ja, es ist richtig, dass hier niemand verhungert und dass in Deutschland – noch! – alle Menschen Zugang zu sauberem Wasser haben. Ja, in Deutschland können auch alle Kinder zur Schule gehen. Das muss aber in einem reichen europäischen Industrieland ganz einfach Standard sein, auch wenn es weltweit immer noch alles andere als selbstverständlich ist.

Und mir ist auch klar, dass nicht nur die materielle Armut, also die Einkommensschwäche, sondern auch die Resilienz und die psychosoziale Situation der Familie eine große Rolle spielen. Nur stehen eben auch diese »weichen« Faktoren unter verstärktem Druck, wenn materielle Armut bzw. mangelndes Einkommen hinzukommt.

Im Folgenden möchte ich auf alle Kinderrechte eingehen, die meiner Ansicht nach in Deutschland nicht oder nur teilweise umgesetzt sind.

Gleichbehandlung und Schutz vor Diskriminierung

In Deutschland werden bei Weitem nicht alle Kinder gleich behandelt, auch nicht von staatlichen Stellen. Das heißt: Sie werden aufgrund ihrer Herkunft diskriminiert. Und wo sich in ihrem Auftreten und Verhalten Defizite zeigen, die durch die vielfachen Entwertungserfahrungen verursacht sind, verschärft sich diese Diskriminierung noch. Und obwohl die verächtlichen Thesen des Soziologen Paul Nolte weithin kritisiert wurden, geistert immer noch das auch von ihm gesäte Vorurteil durch die Köpfe, es gebe in Deutschland eigentlich gar keine Armut, sondern nur eine Verwahrlosung der Unterschicht. Unter der Überschrift »Das große Fressen« hat er in einem viel beachteten Artikel in der *ZEIT* (Nr. 52/2003) die Behauptung aufgestellt: »Nicht Armut ist das Hauptproblem der Unterschicht. Sondern der massenhafte Konsum von Fast Food und TV.« Wenn ich Behauptungen höre nach dem Motto: »Wenn man diesen Leuten mehr Geld für ihre Kinder gibt, geben sie es ja doch nur für Schnaps und Zigaretten aus oder kaufen sich einen größeren Fernseher«, kommt mir die Galle hoch. Die Folge solcher Vorurteile, die dann auch noch von manchen Wissenschaftlern – aus welchen Gründen auch immer – gestärkt werden: Kinder aus armen Familien werden in Schubladen gesteckt und bekommen das diskriminierende und stigmatisierende Etikett »arm« aufgeklebt. Und so werden ihre Chancen auf ein gutes Leben, die ohnehin schon schlecht sind, noch weiter geschwächt.

Gesundheit

In Deutschland wie in der Mehrheit der Industriestaaten haben Kinder aus armen Familien deutlich schlechtere Gesundheitschancen. Übergewicht, motorische Störungen, Lücken im Impfschutz und ADHS sind Störungen, die ganz eindeutig mit Armut in der Herkunftsfamilie zusammenhängen. Zu diesem Ergebnis kommt unter anderem auch die Studie »Armut und Gesundheit« des Paritätischen Wohlfahrtsverbandes. Wobei die Gründe für die Impflücken nicht in einer bewussten Auseinandersetzung der Eltern oder in einer Kritik am Impfen generell liegen, sondern zumeist dadurch begründet sind, dass diese Eltern mit dem Einhalten von Vorsorgeuntersuchungen und Impfterminen überfordert sind. Und das System der Vorsorgeuntersuchungen ist auf eine gewisse Zahl von »Verweigerern« sogar ausgelegt: Wie bei allen medizinischen Vorsorgeangeboten würden die Kinderarztpraxen unter der Zahl der Anfragen zusammenbrechen, wenn tatsächlich alle Eltern sämtliche Angebote wahrnehmen würden.

Ein wichtiger Faktor beim Thema Kindergesundheit ist die Ernährung. Kinder aus armen Familien werden weniger gesund ernährt und leiden häufiger unter Vitamin- und Nährstoffmangel. Der Hartz-IV-Satz reicht für die nötigen – oft sogar für zu viele – Kalorien aus, aber nicht für eine gesunde, varianten- und nährstoffreiche Ernährung. Mein Pausenbrot war dafür das beste Beispiel.

Hinzu kommt: Bereits bei der Geburt haben Kinder aus armen Familien schlechtere Karten. Sie kommen häufiger zu früh zur Welt, und sie sind häufiger belastet durch Alkohol- und Nikotinkonsum der Mutter während der Schwangerschaft. Und auch die Teilnahme an den Vorsorgeuntersuchungen für Kinder wird häufiger versäumt als in wohlhabenden Familien. So können Entwicklungsverzögerungen oder Krankheiten nicht rechtzeitig erkannt werden und setzen sich fest oder werden chronisch.

Zudem leben Kinder aus armen Familien häufig in einer Wohnsituation, die sowohl innerhalb als auch außerhalb des Haushalts Unfälle begünstigt. Kein Wunder also, dass arme Kinder doppelt so häufig in Verkehrsunfälle und Haushaltsunfälle verwickelt sind wie Kinder aus wohlhabenden Familien.

Schließlich ist nachgewiesen, dass eine ganze Reihe von psychischen Erkrankungen durch soziale Faktoren beeinflusst wird. Arme Kinder stehen häufig unter Dauerstress und erheblichem psychischen Druck, und fehlende Maßnahmen zur Prävention und Behandlung fördern das Risiko psychischer Erkrankungen zusätzlich. Diesen Teufelskreis habe ich in meiner Familie immer wieder erlebt, nicht zuletzt mit Blick auf die Probleme meiner Eltern. Durch den andauernden Druck, das allgegenwärtige Gefühl von mangelnder gesellschaftlicher Anerkennung und Akzeptanz sowie das Gefühl, sich im ohnehin schon schweren Alltag von einem Problem zum nächsten abzuarbeiten, verschwinden Zufriedenheit und Ruhe. Es liegt auf der Hand, dass so psychische Krankheiten wie etwa Depressionen und daraus folgende Antriebslosigkeit entstehen können. Das Erste, was man durch diese vielfältigen mentalen Herausforderungen verliert, wenn man in Deutschland in Armut abrutscht, ist häufig die Freude am Leben und das Empfinden, ein wichtiges Mitglied der Gesellschaft zu sein. Das ist erschütternd, ich kann es gar nicht anders sagen.

Bildung und Ausbildung

Ein paar traurige Zahlen dazu: Der Betrag für Bildung, der im Hartz-IV-Regelsatz ausgewiesen ist, liegt für einen alleinstehenden Erwachsenen bei 1,08 Euro. Im Monat! Für Kinder ist er deutlich niedriger (0,74 Euro für ein Kindergartenkind, 0,53 Euro für Kinder von sechs bis 14 Jahren, 0,23 Euro für Kinder ab 15 Jahren). Dazu muss man eigentlich kein Wort mehr sagen. Es ist einfach zu wenig, im Grunde könnte man es ebenso gut weglassen.

Kinder aus armen Familien und benachteiligten Wohnumfeldern werden häufig bereits mit Defiziten in Motorik und Sprachfähigkeit eingeschult. Sie bekommen oft keine oder zu wenig Frühförderung, Entwicklungsstörungen werden häufig nicht oder zu spät erkannt. Tatsächlich lässt sich sogar nachweisen, dass die Entwicklung der Intelligenz in einer Situation dauerhafter Armut leidet. Stress tut der Intelligenzentwicklung bei Kindern nicht gut. Und alle Ansätze zu einer Finanzierung von Lernförderung, wie sie auch im neuen »Starke-Familien-Gesetz« vom August 2019 vorkommen, helfen nichts, wenn Kinder, die zunächst einmal eine psychosoziale Betreuung brauchen würden, mit reinem Nachhilfeunterricht abgespeist werden.

Das Risiko, in der Schule nicht mithalten zu können, ist bei armen Kindern deutlich erhöht. Mindestens 80 Prozent der Kinder in Förderschulen stammen aus armen Familien. Die belastende familiäre Situation, soziale Isolation, schlechte Wohnverhältnisse und mangelnde geistige Anregung führen dazu, dass arme Kinder sich geistig nicht so entwickeln können, wie sie es von ihren Anlagen und ihrem Potenzial her könnten.

Armut und Bildung hängen eng zusammen. Armut führt zu einem schlechteren Zugang zu Bildung. Und »Bildungsferne« führt zur Armut. Wenn dann auch noch Vorurteile über angeblich bildungsferne und verwahrloste Familien ausgerechnet im Bildungsbereich dazukommen, schließt sich der Teufelskreis. Genau das ist aber häufig der Fall: Gerade in der Schule zeigt sich das Problem der Diskriminierung oft genug besonders deutlich. Diskriminierung ist nicht nur die reine Beurteilung von Äußerlichkeiten wie zum Beispiel der Klamotten. Viel eher geht es um eine Ungleichbehandlung und Entwertung von Menschen, die vermeintlich weniger gut gestellt sind. Kinder etwa, die durch die unterbewusste Voreingenommenheit einer Lehrkraft ungleich behandelt werden, erfahren eine massive Benachteiligung in der Schule.

Freizeit, Spiel, Erholung

Kinder, die in dauerhafter Armut aufwachsen, haben deutlich weniger Möglichkeiten zu einer sinnvollen Freizeitgestaltung. Die kostet nämlich häufig Geld, das in der Familie nicht zur Verfügung steht. Und was ist mit dem viel gerühmten Bildungspaket? Den Ansätzen in dem neuen »Starke-Familien-Gesetz«? Sie sind leider nur ein Tropfen auf den heißen Stein. Der sogenannte Teilhabebeitrag für Sportvereine oder Musikunterricht, der nun von zehn auf fünfzehn Euro steigt, ist immer noch viel zu gering. Und er fördert nur ganz bestimmte Fähigkeiten: Den Beitrag für einen Sportverein kann sich eine arme Familie mit dem Teilhabebeitrag leisten. Bei Fahrten zu Wettkämpfen oder notwendiger Sportausrüstung und -kleidung sieht die Sache schon wieder schwieriger aus. Bei einer durchschnittlichen Musikschule deckt der Teilhabebeitrag nicht einmal die Hälfte der Kosten (von den Kosten für ein Instrument ganz zu schweigen).

Wo aber die Anregung zu sinnvoller Freizeitgestaltung durch die Eltern fehlt, bleiben am Ende »Rumhängen« auf Spielplätzen, monotones Gekicke auf dem nächsten Bolzplatz oder – schlimmer – verschiedenste Spiele auf dem PC. Computerspiele gleich welcher Art verstärken die Isolation, unter der Kinder aus armen Familien ohnehin leiden.

Hinzu kommt, dass Kindern aus armen Familien häufig ohnehin nur wenig Zeit zum sorglosen Spielen und zur Erholung bleibt. Ich weiß aus eigener Erfahrung, wie viel Zeit ich damit zugebracht habe, meine Familie zu managen, einzukaufen, Bankgeschäfte zu erledigen, mich um meine Eltern und meinen Bruder zu kümmern. Zum Spielen blieb da nicht viel Zeit. Nicht zuletzt deshalb habe ich von der Tagesgruppe so sehr profitiert: Sie bot mir einen Schutzraum, in dem ich Kind sein konnte und für meinen »Familienjob« nicht zur Verfügung stand. Bei dem Dauerstress zu Hause hatte ich jedes bisschen Erholung bitter nötig.

Information und Mitsprache

Ich habe jede Gelegenheit genutzt, mich zu informieren und mich mitzuteilen. Aber zum einen war ich auch ein Kind, das extrem neugierig war und keine Hemmungen hatte draufloszureden. Zum anderen wurde es auch mir von Lehrer*innen und Betreuer*innen nicht immer leicht gemacht, denn manchmal war ihnen mein ständiges Nachfragen schlicht und einfach lästig. Kinder, die nie gelernt haben, nachzufragen und nachzuschlagen, wenn sie etwas nicht wissen, sind in einer noch schwierigeren Situation.

Wo aus eigentlich guten Gründen meine Mitsprache eingefordert wurde – beispielsweise als nach einem Jahr im SOS-Jugendhaus geklärt werden sollte, ob ich dort bleiben oder in meine Familie zurückkehren würde –, da war das eine riesige Überforderung für mich. Denn die Entscheidung setzte mich unter großen Druck.

Ich wusste genau, ich war im Jugendhaus besser aufgehoben als bei meinen Eltern. Ich hatte gerade erst angefangen, mich von dem Stress der vergangenen Jahre zu erholen, mich emotional ein wenig zu öffnen, Freundschaften zu schließen, Hilfe anzunehmen. Meine Leistungen in der Schule wurden immer besser, ich fühlte mich gesünder, weniger belastet, ruhiger. Zum ersten Mal konnte ich mein Potenzial wirklich entfalten, und das tat mir gut.

Auf der anderen Seite machten meine Eltern klar, dass sie mich unbedingt zurückhaben wollten. Und zwar aus durchaus eigennützigen Gründen: Sie kamen ohne mich noch weniger mit ihrem Leben zurecht, ihnen fehlte der »Kümmerer« in der Familie. Außerdem standen sie wirtschaftlich ohne mich schlechter da, weil das Kindergeld und mein Anteil am ALG II jetzt wegfielen. Und ein dritter Faktor kam noch dazu, der mir schmerzlich bewusst war: Das Jugendamt hätte mich ganz gern wieder in der Familie gesehen. Mein Platz im Jugendhaus fehlte an anderer Stelle und kostete Geld. Jedes Kind, das wieder in seine Familie zurückkehrt, macht einen Platz für ein anderes bedürftiges Kind frei und entlastet die kommunalen Kassen.

Mit all diesen Dingen im Kopf wurde ich in den Gesprächen mit meinen Eltern und dem Jugendamt vor die Entscheidung gestellt: im Jugendhaus bleiben oder zurück »nach Hause«? Es ist mir nicht leichtgefallen, allein in meinem Interesse zu entscheiden. Denn allein meine Interessen zu vertreten, das war ich nicht gewöhnt. Ich hatte von klein auf immer die Interessen der ganzen Familie mit berücksichtigt, das war mir in Fleisch und Blut übergegangen.

Am Ende habe ich es trotzdem getan. Ich habe ganz klar gesagt, dass ich im Jugendhaus bleiben will. Gegen den ausdrücklichen Willen meiner Eltern. Meine Betreuer*innen aus dem Jugendhaus haben sich vorher nicht eingemischt, aber als klar war, dass ich bleiben wollte, war ihnen deutlich anzumerken, wie froh sie waren. Sie haben mir im Nachhinein sehr den Rücken gestärkt. Nach dieser Entscheidung habe ich mich im Jugendhaus noch mehr zu Hause gefühlt.

Gewaltfreie Erziehung

Kinder aus armen Familien haben ein deutlich höheres Risiko, in ihrer Erziehung körperliche und seelische Gewalt zu erleiden, als Kinder aus Familien mit Durchschnittseinkommen, die nicht durch Langzeitarbeitslosigkeit belastet sind. Wo die Eltern durch Dauerstress, Überforderung, psychische Erkrankungen oder Sucht belastet sind, ist es oft nur ein kleiner Schritt bis zur Ausübung von Gewalt. Ich weiß, dass viele arme Eltern unglaublich liebevoll mit ihren Kindern umgehen. Ich weiß aber auch, wie schnell überforderte, psychisch angeschlagene Eltern überreagieren können. Eine gewaltfreie Erziehung sieht anders aus. Und in diesem Kontext ist nicht nur die physische Gewalt gemeint, sondern auch die psychoemotionale Gewalt. Ständiges Schimpfen, verbales »Runtermachen«, Schreien, die verschiedensten

Arten von schwarzer Pädagogik, die überforderte Eltern anwenden – all das ist Gewalt gegen Kinderseelen.

Hilfe in Katastrophenfällen und Notlagen, Schutz vor Grausamkeit und Vernachlässigung

Wenn heute in Deutschland eine Naturkatastrophe oder ein großflächiger mehrtägiger Stromausfall eintreten, werden staatliche Stellen ohne Ansehen der Person helfen, so gut sie können. Daran kann gar kein Zweifel bestehen. Trotzdem ist klar, dass wie überall auf der Welt so auch in diesem Land Katastrophen und Notlagen diejenigen am härtesten treffen, die am wenigsten haben. Und am Ende trifft es immer die Kinder am allerhärtesten.

Dass Jugendämter, die unterfinanziert und deren Mitarbeiter*innen mit zu vielen »Fällen« überlastet sind, es nicht schaffen, Kinder vor Grausamkeit und Vernachlässigung wirksam zu schützen, lässt sich bei jedem Sozialarbeiter und jeder Sozialarbeiterin sehr einfach erfragen.

Familie, elterliche Fürsorge, ein sicheres Zuhause

Reden wir für einen Moment mal nicht vom Geld: Familien und Eltern, die in schwierigen Verhältnissen leben, bekommen in diesem Land auch zu wenig immaterielle Unterstützung. Und ja, sie fordern sie oft auch zu wenig ein oder wehren sich sogar gegen eine vermeintliche Einmischung vonseiten der Schule, des Jobcenters, der »Ämter« überhaupt. Elterliche Fürsorge könnte und müsste viel mehr gefördert werden, durch Familienhelfer*innen, Beratungs- und Gesprächsangebote auf Augenhöhe, wirksame Krisenintervention in Notlagen. Genau dies fordern Organisationen wie der Paritätische Wohlfahrtsverband und die AWO in ihren bereits erwähnten Studien. Für solche Angebote fehlt aber in den Kommunen und bei freien Trägern das Geld. So sind wir von einem sicheren Zuhause für alle Kinder in diesem Land noch weit entfernt.

Kinderrechte müssen durchgesetzt werden

Die Kinderrechte, wie sie die UN-Kinderrechtskonvention festschreibt, laufen letztlich darauf hinaus, dass alle Kinder das Recht haben, in einer sicheren Umgebung ohne Diskriminierung zu leben, Zugang zu gesunder Nahrung, medizinischer Versorgung und Ausbildung zu erhalten und bei Entscheidungen, die ihr Wohlergehen betreffen, ein Mitspracherecht zu haben.

Wenn ich die Erfahrungen aus meiner Kindheit betrachte, komme ich zu einem niederschmetternden Schluss: Diese Rechte sind in Deutschland nicht verwirklicht. Dass sich daran etwas ändern muss, liegt auf der Hand. Ideen dazu gibt es viele. Einige habe ich im zweiten Teil des Buchs unter der Überschrift »Was sich ändern muss« zusammengefasst.

Ich habe es zu Beginn dieses Kapitels schon einmal gesagt, und ich möchte es hier wiederholen: In absoluten Parametern und im internationalen Vergleich steht Deutschland gut da, wenn es um die Erfüllung der UN-Kinderrechtskonvention geht, also um die Schutz-, Förder- und Beteiligungsrechte. Das ist aber kein Grund, nicht haltbare Zustände in anderen Bereichen einfach so hinzunehmen.

Brüder mit ungleichen Chancen

Ich habe nicht nur einen, sondern zwei Brüder. Davon habe ich aber auch erst relativ spät erfahren. Der eine ist mein Zwillingsbruder Niklas. Der andere ist mein Halbbruder Stephan. Von beiden habe ich zu Beginn des Buchs schon kurz erzählt, und Niklas spielt natürlich immer wieder eine Rolle.

Niklas und ich

Dass Niklas und ich Zwillinge sind, darauf würde man niemals kommen. Wir sehen nicht nur sehr unterschiedlich aus, wir sind auch vom Charakter und Verhalten her vollkommen unterschiedliche Typen. Das war immer schon so und hat mich als Kind sehr belastet. Zum Beispiel konnte ich überhaupt nicht verstehen, warum mein Bruder ständig Aufmerksamkeit verlangte und danach drängte, auch auf »wilde« Weise. Wenn er mit normalem oder positivem Verhalten keine oder – in seinen Augen – nicht genug Aufmerksamkeit bekam, wurde er laut, stellte irgendetwas an, drehte notfalls durch. Mir war seine fordernde Art so fremd und unverständlich, dass wir uns sehr oft zankten, gelegentlich auch prügelten. Darauf bin ich nicht stolz, und bis heute habe ich ein schlechtes Gewissen, weil ich ihn bestimmt mehr als einmal unfair behandelt habe. Ich hätte vernünftiger handeln müssen. Aber ich war ein Kind, und obwohl ich vielleicht günstigere Voraussetzungen hatte als mein Bruder, tat ich es nicht.

Ich selbst war mit unserer Familiensituation überfordert, besonders nach dem Tod meiner Großmutter, die ich sehr gern gehabt habe und die mir ein Mindestmaß an Geborgenheit und Stabilität vermittelte. Und diese Überforderung zeigte sich gelegentlich auch bei mir in Aggressivität und Rücksichtslosigkeit.

Mein Bruder war ebenso überfordert, auch in der Schule, denn er hatte große Schwierigkeiten, sich zu konzentrieren, und außerdem fand er kaum Kontakt zu den Mitschüler*innen. Er wurde einfach nicht akzeptiert. Wenn im Zusammenhang mit Armut von »sozialer Teilhabe« gesprochen wird, dann ist mein Bruder ein gutes Beispiel dafür, dass der Teufelskreis aus Armut, Überforderung und psychischen Problemen soziale Teilhabe komplett unmöglich machen kann.

Niklas hatte nur einen einzigen Freund. Er hieß Tom und war ebenso hyperaktiv wie mein Bruder. Er wohnte gleich gegenüber unserer Schule, zusammen mit seinem Vater, der alkoholabhängig war und die Schnapsflaschen immer ordentlich auf der Fensterbank aufreihte. Kein Wunder, dass diese Lebenssituation Tom rebellisch und hyperaktiv machte. Aber immerhin: Mit seinem aggressiven Verhalten verschaffte er sich bei den anderen Respekt. Er war der Schrecken des Schulhofs, und man tat gut daran, sich nicht mit ihm anzulegen, sondern sich sein Wohlwollen zu sichern. Das hat wohl auch meinen Bruder so angezogen.

Eines hatten wir alle gemeinsam: Wir lebten auf dem »Kotten«, von dem ich am Anfang dieses Buchs schon erzählt habe: dem alten Arbeiterviertel von Kaiserslautern. Und wir besuchten die Kottenschule.

Eines Tages verschwand mein Zwillingsbruder ganz plötzlich aus meinem Leben. Kein Zimmer mehr, das ich mit ihm teilte, kein Bad, in dem ich morgens mit ihm die Zähne putzte und ihn für die Schule fertig machte, keine lautstarken Auseinandersetzungen mehr zwischen ihm und meiner Mutter. Aber auch kein gemeinsames Spielen auf dem Bolzplatz, kein Super Nintendo vor dem Fernseher. Er war einfach weg, und ich vermisste ihn. Niklas war verschwunden, und ich hatte keine Ahnung, wohin. Von meinen Eltern erfuhr ich auch auf Nachfragen erst mal nichts Konkretes.

Später habe ich erfahren, dass er wegen seiner psychischen Probleme für längere Zeit in einer Klinik untergebracht war. Damals wusste ich nur, dass wir ihn am Wochenende besuchen durften. Wir fuhren mit dem Auto, die Fahrt dauerte etwa zwei Stunden, und ich erinnere mich an zwei lange Tunnel auf dem Weg. »Am hellen Tag fahren wir kurz durch die Nacht«, sagte mein Vater auf dem Hinweg immer. Heute frage ich mich, ob er das metaphorisch gemeint hat.

Wenn wir dort in der Klinik waren, verbrachte ich ein paar Stunden mit Niklas auf seiner Station, wir malten, hörten Musik, spielten zusammen. Und wenn wir dann wieder zu Hause waren, fühlte sich die Wohnung entsetzlich leer an. Es dauerte, bis Niklas wieder heimkam – mit einer ADHS-Diagnose im Gepäck. Inzwischen hatte ich die erste Klasse abgeschlossen, ohne meinen Bruder.

Wir haben nie wieder gemeinsam die Schule besucht. Während ich in die zweite Klasse der Kottenschule ging, kam mein Bruder in eine Förderschule, 35 Kilometer von uns entfernt. Er wurde morgens um sechs mit einem Kleinbus abgeholt und kam am Spätnachmittag wieder zurück. Die Zeit nach dem Unterricht verbrachte er in einer Tagesgruppe. Ich sah ihn also kaum. Aber an diese irren Morgen, bis er aus dem Haus war, erinnere ich mich genau. Von einem ruhigen Start in den Tag waren wir meilenweit entfernt. Mein Bruder brüllte herum, meine Mutter kreischte, beide waren total überfordert, bis er endlich im Bus saß. Mein Vater bekam das meist kaum mit, weil er gerade wieder mal in einer tiefen Depression steckte.

Damals wusste ich das natürlich nicht, aber heute ist mir klar, wie sehr die Diagnose ADHS mit der sozialen Herkunft in Verbindung steht. Erstaunlicherweise wird das häufig übersehen. ADHS-Kinder werden mit starken Medikamenten ruhiggestellt, was vor allem ihren überforderten Eltern eine Erleichterung verschafft. So müssen sich die Eltern, sobald die Diagnose gestellt ist, nicht mehr mit ihrer eigenen Situation auseinandersetzen.

Das ist ein großes Problem. Denn die Gründe für diese psychische Störung – innerfamiliäre Probleme, Defizite in der Entwicklung, Eheprobleme der Eltern, persönliche

Vorgeschichte der Eltern, mangelndes Eingehen auf die Individualität und Bedürfnisse von Kindern und ihre Neugier – werden weggedrückt, übersehen, verdrängt. Die Stigmatisierung sowohl von Armut als auch von abweichendem Verhalten führt dazu, dass sich niemand wirklich mit Menschen wie meinem Bruder – und wohl letztlich auch meiner Mutter – auseinandersetzt.

Der Umgang mit ADHS, wie er heute läuft, ist also häufig wie eine viel zu einfache und schnelle Lösung für ein Problem, das weit komplexer ist als eine bloße Diagnose. Ich möchte damit die Behandlung mit Medikamenten nicht schlechtreden, aber man kann sie auch nicht einfach so hinnehmen. ADHS ist in vielen Fällen nur ein Ausdruck des Problems, nämlich der mangelnden Auseinandersetzung mit sozialen Problemen, die ich oben kurz aufgezählt habe. Die Diagnose müsste der Startschuss zu einer Aufarbeitung dieser Probleme sein. Das ist aber viel zu selten der Fall.

Mein Halbbruder Stephan

Von meinem Halbbruder Stephan erfuhr ich erst kurz vor seiner Ankunft in Deutschland im Jahr 2012, und vieles über ihn weiß ich bis heute nicht ganz genau.

Stephan ist der ältere Sohn meiner Mutter. Über die Beziehung, aus der er hervorgegangen ist, weiß ich praktisch nichts. Ich habe nur gehört, dass es eine sehr problematische Beziehung gewesen ist.

Das Jugendamt hatte Stephan aus diesen untragbaren Verhältnissen herausgeholt und auf eine Pflegestelle in

Polen vermittelt. Erst seit Kurzem weiß ich, dass der Kontakt meiner Familie zum Jugendamt bereits seit etwa 2000 bestand, also bereits vor meiner Geburt. Warum er ausgerechnet in Polen gelandet ist – keine Ahnung. Stephan wuchs dort auf einem Bauernhof auf, gemeinsam mit mehreren Pflegekindern.

Er war wesentlich älter als Niklas und ich, und als er bei uns ankam – damals war ich elf Jahre alt –, war das für uns Kinder eine Sensation. Ein großer Halbbruder! Ein Familienmitglied, von dem wir noch nie etwas gehört hatten! Und dann auch noch ein ziemlich lässiger Typ, der Zigaretten rauchte, mit einem sehr fremden Akzent sprach und nicht nur Angelzeug im ansonsten spärlichen Gepäck hatte, sondern auch jede Menge polnischer Süßigkeiten. Was er mir über die polnische Kultur und beispielsweise über den Stellenwert der katholischen Kirche in Polen erzählte, war fremd und faszinierend zugleich. Ich hätte ihm stundenlang zuhören können.

Eine wirkliche Beziehung entstand dann aber doch nicht. Zu viel ist inzwischen in meinem (und vermutlich auch in seinem) Leben geschehen. Und dadurch, dass wir uns erst so spät kennengelernt haben und ich ja dann bald von zu Hause auszog, hatten wir gar keine Chance, so etwas wie eine familiäre Bindung oder gar Bruderliebe zu entwickeln. Heute finde ich das schade, aber ich glaube nicht, dass sich daran noch viel ändern kann. Mein Halbbruder ist nicht nur mir fremd geblieben, sondern hat sich auch in Deutschland nie so richtig eingelebt. Dass er aus reiner Unwissenheit gleich mehrere Handyverträge unterzeichnet hat, aus denen er dann nicht wieder rauskam und die ihn in Schulden stürzten, ist nur ein Beispiel dafür, dass auch er sich im Alltag oft schwergetan hat. Als ich davon erfuhr, hätte ich ihm gern geholfen. Aber das war nicht möglich, und er wollte auch gar keine Hilfe annehmen, sondern war wütend und fühlte sich von allen Seiten betrogen.

Dass er Mühe hatte, sich in Deutschland zurechtzufinden, hat aber wohl auch mit seinen gesundheitlichen Herausforderungen zu tun. Ab und zu hatte er epileptische Anfälle, die so dramatisch waren, dass sie uns Kinder immer wieder sehr erschreckten. Deshalb arbeitete er, als er wieder in Deutschland war, in einer Förderwerkstatt. Dort bekam er zwar einen sehr geringen Lohn, es hat ihm dort aber wohl ganz gut gefallen, und irgendwie hätte alles gut sein können, wenn man ihn einfach in Ruhe hätte machen lassen.

Leider ging dann aber alles schief, die genauen Hintergründe kenne ich nicht. Ich glaube, meine Mutter wollte ihn eigentlich nicht wirklich bei sich haben, und sobald er aus purer Unwissenheit oder einer gewissen Tollpatschigkeit etwas anstellte oder etwas kaputt machte, reagierte meine Mutter, wie so häufig, sehr impulsiv. Irgendwann ist er dann wieder verschwunden.

Er hat noch viel mehr unter ihr gelitten als wir. Beispielsweise warf sie ihm immer wieder vor, er würde seine epileptischen Anfälle bloß simulieren, um Aufmerksamkeit zu bekommen. Und irgendwann in diesem Jahr setzte sie ihn kurzerhand vor die Tür. Er lebte dann eine Weile im St.-Christopherus-Haus am Hauptbahnhof von Kaiserslautern, einer Unterkunft für Obdachlose, und hat sehr viel Alkohol getrunken.

Seit ich von meiner Familie weggegangen bin, also

seit sieben Jahren, habe ich ihn nicht mehr gesehen. Er hat ein- oder zweimal versucht, Kontakt zu mir aufzunehmen, aber ich wusste einfach nicht, wie ich mit ihm umgehen sollte. Ich war hilflos und habe nicht reagiert. Darauf bin ich überhaupt nicht stolz.

Kein Pausenbrot

Was bedeutet Armut ganz konkret im Leben eines Kindes? Also wirklich konkret, abseits von Statistiken, Zahlen und Summen? Zeigt sie sich in der äußeren Erscheinung? Im Verhalten? In den immer gleichen Klamotten, die ein Junge trägt? Den immer gleichen Schuhen, die irgendwann vor sich hin müffeln? Sind es die Bildungslücken? Oder ist es das desolate Umfeld, der ungepflegte Plattenbau abseits der braven bürgerlichen Einfamilienhäuser? Woran erkennt ein Kind, dass es zur »Unterschicht« gehört?

Armut hat so viele Facetten. Doch eins haben sie alle gemeinsam: Sie unterscheiden sich drastisch von dem, was in »normal« funktionierenden Familien zum Alltag gehört.

Für mich zeigte und zeigt sich Armut besonders in Überforderung, Last und Strukturlosigkeit. Doch sie war ein so integraler Bestandteil meines Kinderlebens, dass ich sie kaum hinterfragte oder auch nur erkannte. Wie auch? Wer hätte mir etwas darüber sagen und beibringen sollen?

Arm sein ist nicht nur der rein ökonomische Nachteil, den viele Kinder selbstverständlich spüren. Armut ist in unglaublich vielen Fällen verbunden mit einem Fehlen von Struktur im Leben und viel zu wenig Zeit für das, was wichtig ist. Und damit verbunden sind ständige Enttäuschungen im Leben von Kindern. So habe ich es erlebt, und so erleben es jetzt gerade unzählige Kinder in diesem Land. Wir werden ständig, unaufhaltsam enttäuscht. Von unseren Eltern, von der Schule, von den Erwachsenen in unserem Umfeld. Und letztlich – ohne dass wir es wissen – von der Politik. Und die meisten von uns kommen irgendwann an den Punkt, ihre Bedürfnisse nicht mehr laut zu äußern, sondern anzunehmen, dass ihre Enttäuschung nur einen Grund haben kann: Sie haben sich vorher in allem, was sie sich wünschten, *ge*täuscht. Die Folge ist eine abgrundtiefe Resignation.

Routine im Alltag, Routine im Leben – für die Mehrheit der Erwachsenen in Deutschland bedeutet das: Sie gehen einem Beruf nach, verbringen Zeit mit ihrer Familie, mal mehr, mal weniger. Gemeinsame Mahlzeiten sind ein ganz wichtiger Bestandteil dieser Routine. In den meisten Familien wird zumindest gemeinsam gefrühstückt. Der Tagesbeginn hält die Familie zusammen.

Nun könnte man meinen, dass bei »Hartzern« der Morgen doch besonders ruhig verläuft. Sie haben ja, so das übliche Vorurteil, genug Zeit, weil sie ohnehin nicht arbeiten. Aber das Gegenteil ist der Fall: In vielen von Armut betroffenen Familien herrscht nicht Ruhe, sondern Hektik. Nicht Routine, sondern totale Strukturlosigkeit. Und diese Strukturlosigkeit ist ein riesengroßes Problem, vor allem für die Kinder in diesen Familien.

Da ich es selbst lange genug erlebt habe, will ich einen typischen Morgen in meiner Familie beschreiben, als ich die Grundschule besuchte. Diese Morgen waren nicht alle gleich, aber sie hatten eines gemeinsam: Sie waren von Überforderung geprägt. Antriebslosigkeit, Hilflosigkeit selbst den einfachsten Alltagstätigkeiten gegenüber, ein hohes Maß an Unlust. Das alles kam von meinen Eltern. Das alles spüren Kinder. Und es tut ihnen nicht gut.

Es gab keine ruhige Routine bei uns. Das hinterfragte ich nicht, ich war es gewohnt, fand es normal und dachte nicht darüber nach. Dass ich morgens von den lautstarken Auseinandersetzungen zwischen meiner Mutter und meinem Bruder geweckt wurde. Dass ich, kaum wach, dafür zuständig war, meinen Bruder zu beruhigen, dass ich überhaupt dafür sorgte, die beiden einigermaßen fit für den Tag zu machen: So war das eben. Dass mein Vater in der Finsternis seiner Depression kaum in der Lage war, morgens das Bett zu verlassen. Das alles »war halt so«. Dass mein Bruder jeden Morgen herumschrie, weil er nicht aufstehen und schon gar nicht in die Schule wollte, dass jeder Tag mit Unwille, Lustlosigkeit und negativen Gefühlen begann – ganz normal. Dass meine Mutter laut und oft auch handgreiflich wurde, ohne es eigentlich zu wollen – es gehörte zu meinem Tagesbeginn.

Und bei den Familien in unserer nächsten Nachbarschaft war es nicht viel anders. Auch die Nachbarn schrien sich an, kümmerten sich zu wenig um ihre Kinder, waren mit ihrem Alltag zum Teil komplett überfordert.

Mein Schulbrot wurde für mich zum Symbol dieser Situation. Zwischen zwei Scheiben labbrigem Toastbrot war mindestens ein halber Zentimeter Butter gestrichen, darauf lag eine Scheibe Lyoner aus der Plastikverpackung vom Discounter.

Eine Brotdose hatte ich nicht, stattdessen verlor sich mein Pausenbrot in einem Plastikbeutel zwischen den Büchern und Heften im Ranzen. Wenn ich es in der Pause herausklaubte, war es eher ein Puzzle als eine Mahlzeit. Ich habe mich so dafür geschämt, dass ich es vor den anderen versteckte. Und ich habe mich fast jeden Tag davor geekelt. Meistens habe ich es dann auch gar nicht gegessen, sondern die ganze Plastiktüte schlicht und einfach in den nächsten Mülleimer geschmissen.

Dabei hatte ich spätestens in der ersten großen Pause einen Bärenhunger, zu Hause gab es ja kein Frühstück. Aber der Ekel vor diesem Brot war stärker. Und er wurde noch schlimmer, wenn ich die Pausenbrote meiner Mitschüler*innen sah: eine Brotdose, Vollkornbrot, Gemüse, Obst … Ich weiß noch sehr genau, wie neidisch ich manchmal war und wie sehnlich ich mir wünschte, auch mal so etwas mit in die Schule zu bringen.

Dazu ist es leider nie gekommen. Aber bevor mein Magen zu laut knurrte, kam zum Glück mein bester Freund Dean auf mich zu. Dean hat in der Grundschule immer sein Frühstück mit mir geteilt und mir manchmal sogar den gesamten Inhalt seiner Brotdose überlassen. Für mich war sein Schulbrot das Symbol für eine andere Welt. Eine Welt, in der sich die Eltern so um ihre Kinder sorgten, dass sie ihnen ein gutes Frühstück mitgaben. Ich mache meinen Eltern keinen Vorwurf. Sie tragen keine Schuld an ihrem Unvermögen, sondern haben selbst an ihrer Situation, ihren Problemen und ihrem belastenden, entwürdigenden Alltag schwer zu tragen – bis heute.

Auf den ersten Blick ist es nur ein Frühstück. Etwas ganz Alltägliches. Auf den zweiten Blick ist es ein Symbol der Fürsorge. Oder eben ein Symbol des Mangels an Fürsorge. Ein Symbol für Liebe oder Lieblosigkeit, Struktur oder Rastlosigkeit. Für ein Kind im Grundschulalter bedeutet so ein Schulbrot möglicherweise den Unterschied zwischen Chancen und Chancenlosigkeit.

Ich muss in diesem Zusammenhang unbedingt noch von Hannes erzählen. Denn Hannes war ein echtes Zeichen der Hoffnung für mich. Ich muss immer ein bisschen lachen, wenn ich von ihm erzähle, nicht weil er so komisch war, sondern weil es mich fröhlich macht, an ihn zu denken.

Wenn ich einkaufen musste – meistens die Eigenmarken von Rewe –, fuhr ich mit einem rostigen Fahrrad los. Der Weg war gar nicht weit, ich hätte ihn durchaus zu Fuß gehen können, aber das Fahrrad war nun mal mein Ein und Alles. Manchmal nahm ich auch meinen Bruder auf dem Gepäckträger mit, oder er mich.

Auf dem Weg dorthin kam ich eben bei Hannes vorbei. Der saß immer im Fenster und hatte auch immer Zeit für ein Schwätzchen. Er war freundlich und gemütlich und einfach nett zu mir. Bei ihm hatte ich immer das Gefühl, er mochte mich, so wie ich war. Obwohl er ein Erwachsener war, war es eine irgendwie gleichberechtigte Beziehung. Oft warf er mir leere Pfandflaschen zu, die ich dann mitnahm und im Laden in den Automaten warf – so kam ich mal wieder zu einem kleinen Taschengeld. Manchmal bekam ich von ihm auch Süßigkeiten, die er mir ebenfalls durchs Fenster zuwarf.

Er hatte wohl eine Ahnung, woher ich kam und dass die Verhältnisse bei uns in der Familie nicht so ganz einfach waren. Vielleicht wurde auch in der Nachbarschaft darüber geredet, das weiß ich nicht, aber es liegt nahe. Hannes jedenfalls redete nicht lange rum oder ließ Mitleid raushängen, sondern er tat das, was er konnte, um uns Kindern ein kleines bisschen zu helfen. Hier ein paar Pfandflaschen, da ein Schokoriegel … lauter kleine Dinge, die uns das Leben schöner machten. Wenn er mich zum Kiosk gegenüber schickte, damit ich dort für ihn Zigaretten holte, schenkte er mir manchmal das Wechselgeld. Oder er steckte heimlich ein oder zwei Eurostücke in die Tüte mit den Süßigkeiten.

Hannes war ganz einfach ein guter Mensch. Fast noch mehr als über die Süßigkeiten und das Geld habe ich mich über seine Freundlichkeit gefreut. Da war jemand, der sich ohne großes Getue ein bisschen um uns Kinder kümmerte. Das fand ich toll.

Zwei Jahre lang ging das so, dann unterband meine immer misstrauische Mutter den Kontakt, und er zog sich zurück. Wahrscheinlich hat sie gedacht, er wollte uns mit seinen Geschenken anlocken und würde Böses im Schilde führen. Das war natürlich Quatsch! Ich denke heute noch sehr, sehr gern und voller Dankbarkeit an ihn.

Armutszeichen

Armut stigmatisiert, sagt man. Doch was heißt das eigentlich? Ein Stigma ist zunächst einmal nichts anderes als ein sichtbares Zeichen. Aber es ist eben ein ganz besonderes Zeichen: Ein Stigma wird als auffälliges, in aller Regel negativ bewertetes Merkmal definiert, das man auch nicht so leicht wieder loswird. In der Soziologie ist das Stigma ein »Zeichen gesellschaftlicher Unehre«, in der Medizin ein »körperliches Zeichen physischer Unstimmigkeit«. Und in der Geschichte wurde der Begriff für das Brandzeichen verwendet, das in der griechischen und römischen Antike den Sklaven eingebrannt wurde. Wenn ich darüber nachdenke, steigen gruselige Bilder vor meinem inneren Auge auf.

Eine hässliche Sache, so ein Stigma. Und ich habe mehr als ein solches »auffälliges Merkmal« am eigenen Leib zu spüren bekommen.

Wenn die anderen Fußball schauen

Während der Fußballeuropameisterschaft im Juni 2012, kurz bevor ich meine Familie verließ, habe ich mir eine einmalige Einkommensquelle erschlossen: Ich bin an den Abenden, während der Spiele und danach, losgezogen, um Pfandflaschen und leer herumstehende Pfandbecher zu sammeln. So verdiente ich ein bisschen Taschengeld und konnte mir die eine oder andere notwendige Sache kaufen, für die sonst kein Geld da war. Natürlich war das alles andere als cool. Und natürlich hätte ich viel lieber mit Freunden irgendwo gesessen und mir die Spiele angesehen. Aber es war schlicht und einfach nötig, denn ich brauchte endlich ein bisschen Geld zur freien Verfügung. Welcher Elfjährige hat nicht den einen oder anderen Wunsch …

Es hat nicht lange gedauert, dann wusste ich ganz genau, wo Flaschen und leere Becher (die am meisten Pfand brachten) zu finden waren. Überall dort, wo in der Öffentlichkeit Fußball geschaut wurde, waren die Chancen gut. Mit einer Tasche aus dem Supermarkt zog ich los und freute mich, wenn sie so voll wurde, dass ich Mühe hatte, sie zum Laden zu schleppen.

Wenn ich noch am gleichen Tag meine gesammelte Beute im Supermarkt in den Automaten steckte bzw. die Bierbecher bei den Ständen abgab und mir das Geld holte, schaute mich die eine oder andere Kassiererin schon mal misstrauisch an. Aber es gab auch einige, die eher einen mitleidigen Blick draufhatten. Beides fand ich schrecklich, aber was sollte ich machen? Das Taschengeld hat mich darüber hinweggetröstet, und nicht zu vergessen auch die Süßigkeiten, die ich mir damit leisten konnte. Notfalls konnte ich immer noch den Laden wechseln, wenn mir die Blicke zu viel wurden.

In der Schule war Fußball natürlich ein Riesenthema. Vor allem die spannenden Spiele in der Finalrunde faszinierten uns alle. Dass am Ende Spanien und Italien das Endspiel bestritten und dass die deutsche Mannschaft im Halbfinale ausschied, wurde von den Experten unter uns mindestens so fachkundig kommentiert wie von den Spezialisten im Fernsehen. Gern hätte ich mehr von den Spielen gesehen, aber so war es eben …

Die Sache mit dem Gymnasium

Ganz zu Anfang des Buchs habe ich es schon erwähnt: In der vierten Klasse bekam ich keine Empfehlung fürs Gymnasium, obwohl meine Noten dafürgesprochen hätten. Ganz offen erklärte man, mit meinem familiären Hintergrund und dem Mangel an Unterstützung, der zu erwarten wäre, würde ich es im Gymnasium nicht schaffen, so wissbegierig und bildungshungrig ich auch sei.

Seit ich lesen kann, habe ich mir so viel Wissen wie möglich selbst angeeignet. Wenn ich etwas nicht verstand, habe ich Bücher gelesen, manchmal nächtelang. Ich hatte einen Ausweis für die Stadtbücherei und war dort Stammkunde. Selten war mein Ausleihkonto nicht ausgeschöpft, ich habe die Bücher wie Trophäen nach Hause und wieder zurück zur Bücherei geschleppt. Bei manchen tat es mir richtig weh, sie wieder abgeben zu müssen.

Doch obwohl ganz klar war, dass ich nicht nur gern lernte, sondern mich geradezu ums Lernen riss, trauten die entscheidenden Personen mir nicht zu, das Gymnasium zu schaffen. In der Schule glaubte man nicht an mich, sodass ich nur eine Empfehlung für Realschule oder Gesamtschule bekam. Auch in der Tagesgruppe, die ich nach der Schule besuchte, waren die Betreuer*innen skeptisch, wie das funktionieren sollte, ohne Unterstützung von den Eltern. Gerade auf dem Gymnasium wird ja ganz selbstverständlich vorausgesetzt, dass die Schüler*innen zu Hause beim Lernen unterstützt werden. Auch der Sozialarbeiter im Jugendamt riet eher zu einem vorsichtigen Weg.

Mag sein, dass das alles nicht ganz falsch war. Doch in meinen Augen und für mein Gefühl lief alles nur darauf hinaus, dass die Erwachsenen nicht an mich glaubten. So empfand ich es. Das Argument, das Ganze sei die Schuld eines Schulsystems, das den Lehrer*innen zu viel Macht einräume, zählt übrigens nicht. Meine Eltern hätten nämlich durchaus das Recht gehabt, mich an einem Gymnasium anzumelden, wenn sie das gewollt hätten; in Rheinland-Pfalz können Eltern ihren Schulwunsch auch gegen die Empfehlung der Grundschule durchsetzen. Aber auf diese Idee sind sie gar nicht gekommen. Dass einer ihrer Söhne Abitur machen würde, erschien ihnen wohl so absurd wie die Vorstellung, er würde nach Abschluss der vierten Klasse zum Mond fliegen. Und wären sie darauf gekommen, dann hätten ihnen die Berater*innen ringsum es ausgeredet.

Zusätzlich stand, so denke ich heute, wohl auch die Sorge im Raum, wie sie das finanziell stemmen sollten. Bücher, Schulsachen, Klassenfahrten ... das alles kostet ja viel Geld.

Ich kam also auf die Gesamtschule. Und irgendwie war das sogar mein Glück, denn ich traf dort auf einen Klassenlehrer, der mich ernst nahm und förderte, so viel er konnte. Ich erzähle später noch mehr von ihm.

Es ist immer schwierig zu fragen, was wohl gewesen wäre, wenn ... Heute denke ich, es kann durchaus sein, dass ich auf dem Gymnasium mit fliegenden Fahnen untergegangen wäre. Dass ich mit meiner schwierigen Herkunft, meinem nicht gymnasiumkompatiblen Familienumfeld, meinen Discounter-Klamotten, meinem ganzen »struppigen« Auftreten und Verhalten dort sehr schnell ausgegrenzt worden wäre. Heute halte ich es durchaus für möglich, dass ich auf der Integrierten Gesamtschule mit ihrer starken sozialen Durchmischung viel besser aufgehoben war.

Wehgetan hat es trotzdem. Kaum etwas hat mich in meinem Leben so sehr aus der Fassung gebracht wie das Gefühl, dass all diese Menschen, die da über meinen zukünftigen Weg bestimmten, nicht an mich glaubten. Dass sie mir das, was ich mir so sehnlich wünschte, nicht zutrauten: den bestmöglichen Bildungsweg.

»Wer schon als Kind arm ist und nicht am gesellschaftlichen Leben teilnehmen kann, hat auch in der Schule nachweisbar schlechtere Chancen. Das verringert die Möglichkeit, später ein selbstbestimmtes Leben außerhalb von Armut zu führen«, hat der Vorstand der Bertelsmann Stiftung, Jörg Dräger, 2017 im Zusammenhang mit der Studie seiner Stiftung über Kinderarmut geschrieben. Er hat leider auf eine bedrückende Weise recht, auch wenn es bei mir am Ende zum Glück anders lief.

Bei der Tafel

Im Jahr 2017 kam ich ans United World College (UWC) in Freiburg, wo ich dank eines Stipendiums das internationale Abitur absolvieren konnte. Als ich 2017 auf der Liste der sozialen Aktivitäten, an denen ich als Schüler des UWC teilnehmen konnte, auch die Mitarbeit bei der Freiburger Tafel sah, bin ich regelrecht zusammengezuckt. Belastende Erinnerungen stiegen in mir auf. Wie meine Mutter uns mitnahm zu ihrem Einkauf bei der Kaiserslauterer Tafel. Wie sie uns einschärfte, brav in der Schlange zu stehen, gemeinsam mit all den Menschen, die in ihrer Not kamen und in der Morgenkälte oder in der stechenden Mittagssonne mehrere Stunden ausharrten, bis die Türen endlich aufgingen.

Der Tafelladen lag in der Wollstraße, gerade mal zweihundert Meter von der Kottenschule entfernt und mitten in unserem Viertel. Fast tausend Menschen werden heutzutage durch diese Einrichtung versorgt, eine große Zahl. Jeder Nutzungsberechtigte hat einen Tafelausweis, eine Art Kundenkarte, die man bekommt, wenn man seine Bedürftigkeit zum Beispiel durch den ALG-II-Bescheid nachweist und sich regelmäßig dort Lebensmittel abholt. Alle zwei Wochen kann man das tun; der Laden hat an zwei bis drei Tagen in der Woche für jeweils anderthalb Stunden geöffnet. Man zahlt einen kleinen, eher symbolischen Betrag und darf sich dann seine Ration mitnehmen. Es bilden sich immer lange Schlangen vor der Tür. Darin geht es nicht gerade freundlich zu. Es werden schon mal die Ellbogen ausgefahren, und besonders für

Kinder und ältere Menschen ist es nicht besonders angenehm, dort zu stehen und zu warten.

Niklas und ich wollten da nicht hin. Wir fanden das Schlangestehen schrecklich, den Raum, das Gedränge der vielen Menschen, den ruppigen Ton untereinander. Instinktiv fühlten wir uns unwohl in dieser Umgebung, obwohl die ehrenamtlichen Mitarbeitenden sich wirklich alle Mühe gaben, jeden Einzelnen freundlich und höflich zu behandeln.

Aber meine Mutter ließ da nicht mit sich reden. »Ich kann die Taschen nicht allein schleppen«, sagte sie. Also gingen wir widerwillig mit. Und wir erlebten den immer gleichen Zwiespalt. Auf der einen Seite freuten wir uns natürlich, wenn mal eine Tafel Schokolade oder sonst etwas besonders Leckeres in unseren Einkaufstaschen landete. Auf der anderen Seite spürten wir die bedrückende Atmosphäre der Armut an diesem Ort besonders deutlich.

Dabei sind die Tafeln ja wirklich nicht nur ein gut gemeintes, sondern ein richtig gutes Projekt! Heute, aus der Rückschau, ist mir das vollkommen klar. Es ist eine großartige Idee, gespendete Lebensmittel oder Sachen, die aus Supermärkten oder Bäckereien ausgemustert werden, obwohl sie noch gut sind, Bedürftigen zugutekommen zu lassen. Es ist wirklich gut, dass Lebensmittel nicht weggeworfen werden, sondern dort landen, wo man sie braucht.

Niemand kann von der Tafel rundum versorgt werden, das muss auch gar nicht sein, aber es sind die kleinen und großen Extras, die zählen und für viele Menschen in Armut einen riesigen Unterschied ausmachen. Die Menschen, die dort ehrenamtlich arbeiten und ihre Freizeit dafür opfern, anderen zu helfen, haben allen Respekt verdient.

Doch wenn man in der Schlange der Bedürftigen vor der Tür steht oder auf der anderen Seite der Ladentheke, dann ist das einfach nicht lustig. Das gilt für Kinder ebenso wie für Erwachsene, für Student*innen (Bafög-Empfänger*innen sind auch tafelberechtigt!), ebenso wie für Rentner*innen. Man kommt sich vor wie ein Bittsteller, es hat bei allem guten Willen immer etwas von »Armenküche«. Kurzum: Es ist ein sichtbares Zeichen von Armut, und es nagt am Selbstwertgefühl, wenn man da steht und damit zugibt, dass man sein Leben allein nicht auf die Reihe bekommt.

Als ich mich auf dem UWC für ein Sozialprojekt entscheiden sollte, habe ich wirklich lange darüber nachgedacht, ob ich bei der Tafel mitarbeiten sollte. Auf der einen Seite waren die Erinnerungen schmerzhaft und noch viel zu fest in meinem Hinterkopf verankert. Auf der anderen Seite wollte ich gern erleben, wie sich das anfühlt, wenn man zu denen gehört, die geben, nicht empfangen.

Ich habe mich dann dafür entschieden und eine ganze Weile ehrenamtlich bei der Freiburger Tafel mitgearbeitet, aus diesem Grund, aber auch noch aus verschiedenen anderen. Freiburg gehört zu den Städten in Deutschland, denen es im Vergleich sehr gut geht. Fast könnte man meinen, es gebe dort keine sozialen Probleme. Aber dieser Eindruck täuscht. Auf der Schule, die ich in Freiburg besuchte, erlebten wir fast nur den etablierten, eher wohlhabenden Teil der Stadtgesellschaft. Mit denjenigen, die sozial benachteiligt sind, obdachlos, abgehängt, hatten wir kaum zu tun.

Gerade deshalb war es für mich eine Ehrensache, selbst als »Bedürftiger« der Tafel zu dienen. Es war eine Sache von Aufrichtigkeit, etwas auf Augenhöhe zurückzugeben, nicht nur als wohlmeinender Ehrenamtler, sondern als jemand, der die Tafel aus eigenem Erleben als Kunde kennt, nicht nur als Helfer.

So habe ich also bei der Freiburger Tafel mitgearbeitet. Der Laden dort ist aufgebaut wie ein Supermarkt. Die Freiburger Tafel will ihre Kund*innen mit Würde behandeln, indem sie einen Einkauf ermöglicht und nicht einfach vorgepackte Waren verteilt. Das empfinde ich als viel fairer und als Ausdruck von Respekt. Warum sollten sozioökonomisch arme Menschen nicht das Recht haben, selbst einzukaufen, wie es der Rest der Gesellschaft tut?

Ich habe beim Aussortieren von Waren geholfen, die man nicht mehr anbieten konnte, aber auch beim Einpacken und am Stand für Backwaren. So konnte ich hier und da auch mal ein Schwätzchen mit den Kund*innen halten. Ein so normales Bild wie nur möglich vermitteln, darin sah ich meine wichtigste Aufgabe, während ich ehrenamtlich bei der Tafel aktiv war. Mit den Menschen auf Augenhöhe in Kontakt treten. Das war mir wichtig.

Ich bin sehr dankbar für diese Erfahrung auf der »anderen Seite«.

Der Bleistift

Menschen, die nicht in Armut aufgewachsen sind, können sich wahrscheinlich nicht vorstellen, von welchen Dingen arme Kinder träumen und welche Dinge ganz und gar unerreichbar sind. Ich jedenfalls träumte von einem Druckbleistift. Das Teil war das absolute Statussymbol. In meiner Grundschulklasse war das so, dieser Bleistift war Kult, so wie später das iPhone, nur viel harmloser und leichter erreichbar.

Aber dafür reichte das Geld natürlich nie. Wenn meine Mutter mich losschickte, um Stifte zu kaufen, hatte ich gerade so viel Geld bei mir, dass ich die einfachsten Holzbleistifte kaufen konnte. Die Dinger, die ständig abbrachen oder beim Spitzen schief wurden. Natürlich waren sie deshalb auch immer viel schneller aufgebraucht. Arme Leute kaufen teuer, sagt man …

Da ich mir aber nun mal mit meiner ganzen kindlichen Riesensehnsucht so einen Druckbleistift wünschte, tat ich, was sehr viele Kinder in diesem Alter tun (übrigens nicht nur Kinder aus armen Familien): Ich habe ihn geklaut. Zwei Mal über einen Zeitraum von vier Monaten. Es waren die beiden ersten und letzten Diebstähle meines Lebens. Zum Glück sind sie inzwischen verjährt, und ich kann nur hoffen, dass ich keine Mitschuld an der Insolvenz des betroffenen Unternehmens trage …

Im selben Kaufhaus ist übrigens noch eine wilde Geschichte passiert. Mein Bruder wurde nämlich dort einmal bei Ladenschluss eingeschlossen, weil er so konzentriert an der X-Box spielte, dass er gar nicht merkte, wie die Zeit verging. Als er es dann merkte, war er mutterseelenallein in dem großen Kaufhaus, und die Lichter waren aus. Er hat sich dann irgendwie bemerkbar gemacht und wurde »gerettet«. Mit dieser unfreiwilligen Aktion hat er es sogar bis in die Landesschau geschafft.

»Niemand muss hungern in Deutschland«

Die Überschrift habe ich mir nicht ausgedacht, sie stammt von dem *FAZ*-Wirtschaftsjournalisten Rainer Hank. Er sagte diesen Satz (fast wörtlich, ich habe ihn ein bisschen »druckreifer« gemacht) in der Maischberger-Sendung über Armut in Deutschland, zu der ich auch eingeladen war. Hartz IV sei Ausdruck eines Systems, das niemanden durch das soziale Netz fallen lasse, sagte er noch dazu.

Stimmt beides und auch wieder nicht. Wenn man die Definition der Vereinten Nationen zugrunde legt, nach der arm ist, wer von weniger als etwa einem Euro pro Tag leben muss, dann gibt es in Deutschland keine armen Menschen. So leben *muss* hier niemand. Diese Definition, die man auch »absolute Armut« nennt, trifft auf sehr viele Menschen im globalen Süden zu, für Deutschland ist sie schlicht und einfach nicht anwendbar.

Und hier liegt das Problem. Denn wenn man diese Definition doch auf Menschen in Deutschland anwendet, verschiebt sich der Blick auf unfaire und fast schon absurde Weise. Wir leben in einer der reichsten Regionen der Erde, in einem westlichen Industrieland, das von sich behauptet, ein Sozialstaat oder doch zumindest eine soziale Marktwirtschaft zu sein. Und wir haben das große Glück, absolute Armut hier nicht erleben zu müssen. Aus welchen Gründen auch immer, Europa hat schließlich sehr lange auf Kosten der Menschen auf anderen Kontinenten gelebt. Aber die Diskussion darüber würde hier zu weit führen.

Warum sprechen wir also hier in diesem Buch und auch anderswo trotzdem von Armut in Deutschland? Weil es auch noch eine Definition »relativer Armut« gibt, die besagt, dass als arm gilt, wer weniger als die Hälfte des Durchschnittseinkommens in seinem Land zur Verfügung hat. Unter diese Definition fallen in Deutschland sehr viele Menschen. Auch diejenigen, die von ALG-II leben müssen.

Warum ich diesen Armutsbegriff in den Mittelpunkt stelle, muss ich erklären. Man kann in einer finanziell sehr angespannten Situation leben und sich aus den verschiedensten Gründen trotzdem nicht arm fühlen: weil man davon ausgeht, dass diese Situation vorübergehend ist (zum Beispiel während des Studiums), weil man die Hoffnung auf sozialen Aufstieg hat (zum Beispiel als Einwanderer), weil man einen Teil seiner Bedürfnisse (zum Beispiel auf dem Land) auf andere Weise decken kann. Weil für eine begrenzte Zeit die weitaus meisten Menschen in einem Land finanziell/materiell zurückstecken müssen (das war in Deutschland zum Beispiel in der unmittelbaren Nachkriegszeit der Fall). Oder weil man irgendwie gelernt hat, auch mit geringen Mitteln am gesellschaftlichen Leben teilzuhaben.

Und umgekehrt kann man in einer Situation leben, in der durchaus einige finanzielle Mittel zur Verfügung stehen (eine Hartz-IV-Familie mit zwei Kindern hat neben dem Regelsatz Anspruch auf Wohnkosten und Kindergeld), und sich in dieser Situation arm fühlen: weil man davon ausgehen muss, dass sich an dieser Situation nichts ändert, weil man ein Leben führt, das von Hoffnungs- und Ausweglosigkeit geprägt ist und weil man eben *nicht* gelernt hat, am gesellschaftlichen Leben teilzuhaben – mit welchen Mitteln auch immer. Dann fühlt man sich nicht nur arm, sondern auch ausgegrenzt und – wie es heute oft heißt – abgehängt.

Armut, wie ich sie als Kind erlebt habe, ist geprägt von Hoffnungslosigkeit, Perspektivlosigkeit, Ausweglosigkeit. Die meisten armen Familien, die ich kenne, auch meine eigene, sehen absolut keine Chance, ihrer Situation zu entkommen. Sie sind gefangen in einem System aus wenig Geld, schlechter Ernährung und einem erschreckenden Mangel an Struktur und Selbstverantwortung.

Schlimmer noch: Sie wissen gar nicht, wie eine andere Situation aussehen könnte. Weil sie kaum einmal auf Augenhöhe Kontakt mit einer Familie aus dem Mittelstand erleben, haben sie auch keine Ahnung, wie eine Mittelstandsfamilie lebt. Sie wissen nicht, wie Menschen aus anderen Schichten mit ihren Kindern umgehen. Und sie haben keinerlei Vorstellung davon, wie ihr eigenes Leben aussehen würde, wenn sie ihrer bedrückenden materiellen Lage entfliehen könnten. Wie soll man eine Aufsteigermentalität entwickeln, wenn man nicht weiß, was einen am oberen Ende der Leiter erwartet? Wie soll man realistische Ziele entwickeln und den Weg dorthin planen, wenn man keine Ahnung hat, wie es am Ende aussehen könnte?

Der Grund für diese Unwissenheit, die ab einem bestimmten Punkt auch in Resignation und Desinteresse umschlagen kann, ist der Mangel an Teilhabe am gesellschaftlichen Leben. Diese Familien haben einfach keinen Kontakt zu denjenigen, die ihnen ein anderes, besseres Leben »vorleben« könnten. Und da Hartz IV auch den Kindern aus diesen Familien keine echte Teilhabe am gesellschaftlichen Leben ermöglicht, wird die Aussichtslosigkeit an die nächste Generation weitergegeben.

Was Armut mit der Seele macht

Wenn Armut aber nicht einfach mit materiellem Mangel gleichzusetzen ist, muss man nach den Auswirkungen des materiellen Mangels fragen. Und diese Auswirkungen sind dramatisch. Ich habe vieles von dem, worüber ich hier schreibe, in meiner eigenen Umgebung erlebt, auch wenn ich hier nicht ständig mit Beispielen aus meiner Familie argumentiere. Wenn ich es nicht tue, dann auch, um meine Familie ein Stück weit zu schützen. Nicht alles, was wir miteinander erlebt haben, muss in der Öffentlichkeit ausgebreitet werden.

Armut überfordert

Wenn ich an meine frühen Jahre in meiner Familie zurückdenke, fällt mir als erstes Stichwort »Überforderung« ein. Und zwar auf beiden Ebenen: Meine Eltern waren überfordert mit unserem Leben als Familie. Und ich war überfordert damit, dieses Leben irgendwie in Gang zu halten – was ich für meine Aufgabe hielt.

Meine Eltern waren schlicht mit sich selbst überfordert.

Es gelang ihnen nicht, ihren Alltag zu strukturieren, ihre Kinder zu betreuen, sich das Geld einzuteilen, das ihnen zur Verfügung stand. Sie waren überfordert damit, einen geregelten Tagesablauf herzustellen, ganz alltägliche Schwierigkeiten zu meistern, so etwas wie Pläne zu machen. Sie waren damit überfordert, Anträge auszufüllen, um die nötige Unterstützung vom Jobcenter zu bekommen. Oft waren sie schon damit überfordert, überhaupt hinzugehen, selbst wenn sie einen Termin hatten und befürchten mussten, dass man ihnen einen Teil des Geldes strich, sobald sie diesen Termin versäumten. Der simple Gang zum Geldautomaten war oft schon zu viel. Sie waren mit der Tatsache überfordert, dass eins ihrer Kinder verhaltensauffällig war und ziemlich schnell Probleme in der Schule bekam. Sie fühlten sich auf vielfältige Weise abgekoppelt vom »normalen Leben« – das sie eigentlich gar nicht kannten, jedenfalls nicht aus eigener Anschauung.

Ihre Reaktion darauf? Mein Vater wurde psychisch krank und flüchtete sich abwechselnd in manische und depressive Phasen. Zeitweise war er überhaupt nicht mehr ansprechbar. Meine Mutter wurde sehr emotional und auch aggressiv, sie schrie herum, und wenn sie es gar nicht mehr aushielt, verschwand sie einfach für eine Weile. Bei beiden löste die allgegenwärtige Überforderung also Fluchtreaktionen aus. Auch die Glücksspielsucht meiner Mutter war eine solche Fluchtreaktion. In ihrem Kopf hatte sich der Gedanke festgesetzt, wenn sie nur endlich einen großen Lottogewinn an Land ziehen könnte, hätte die materielle Not ein Ende, und dann wäre alles gut. Ein Trugschluss, aber in ihrer verdrehten Logik absolut folgerichtig.

Für mich war unsere Lebenssituation ebenfalls durch Überforderung geprägt, denn alles, was meine Eltern nicht schafften, landete unweigerlich auf meiner Kinder-To-do-Liste. Ich habe schon davon erzählt: Ich wurde zuständig fürs Einkaufen und Bankgeschäfte, machte meinen Bruder morgens für die Schule fertig, half irgendwann auch beim Ausfüllen von Anträgen.

Wohlgemerkt, ich war damals noch keine elf Jahre alt. Ich war, wie so viele Kinder in einer schwierigen Familiensituation, gezwungen, früh erwachsen zu werden und Verantwortung zu übernehmen. Heute weiß ich, dass es dafür einen komplizierten Namen gibt: Parentifizierung. Will sagen: Ein Kind übernimmt in der Familie die Aufgaben, die eigentlich die Eltern hätten. Die Rollen in der Familie drehen sich um, weil sich das Kind verpflichtet fühlt, eine Art Elternfunktion zu übernehmen. So etwas kommt in extremen Überforderungssituationen vor, wie wir sie in unserer Familie erlebten, aber auch beispielsweise dann, wenn ein Elternteil suchtkrank ist. Parentifizierung ist alles andere als kindgerecht, sie überfordert das Kind auf allen Ebenen und führt vor allem dazu, dass sich das Kind nicht mehr weiterentwickelt. Es ist ja sozusagen schon »fertig« mit seiner Entwicklung. Dass das für die Seele eines Kindes nicht gesund sein kann, liegt auf der Hand.

Armut macht Stress

Womit auch schon der nächste wichtige Punkt angesprochen wäre: Armut macht Stress. Auch hier sind wieder

Eltern und Kinder betroffen, auf ihre je eigene Weise. Eine beengte Wohnsituation, ständige Geldsorgen, psychische Probleme einzelner (oder aller) Familienmitglieder, dauerhafter Druck in einem miesen Job oder in der Langzeitarbeitslosigkeit – all das und vieles mehr führt dazu, dass Eltern einem schädlichen Dauerstress ausgesetzt sind.

Und dieser Stress überträgt sich auf die Kinder in der Familie. Nicht nur, weil Kinder den Stress ihrer Eltern zu spüren bekommen, wenn gestresste Eltern ungeduldig und impulsiv, möglicherweise auch aggressiv oder gar gewalttätig auf »nervige« Kinder reagieren. Für manche Kinder geht es schon vor der Geburt los mit dem »geerbten« Stress, denn man weiß heute, dass sich Stress der Mutter während der Schwangerschaft negativ auf das ungeborene Kind auswirkt. Und dass eine Schwangere, die in Armut und materieller Unsicherheit lebt, gestresst ist, kann man als ziemlich sicher annehmen.

Armut macht depressiv

Kinder und Erwachsene aus armen Familien haben ein wesentlich höheres Risiko, psychisch zu erkranken, als Kinder aus Familien mit einem Durchschnittseinkommen (das liegt laut Statista bei 2960 Euro brutto bzw. 1890 Euro netto, Stand 2017). Das hat zum einen mit ihrer belastenden Lebenssituation zu tun, die Menschen unter permanenten Druck setzt und zu Resignation, Frustration und Ängsten führt. Es hat aber auch damit zu tun, dass arme Familien viel zu wenig über die Möglichkeiten von Prävention und Behandlung psychischer Krankheiten wissen und entsprechend seltener Hilfen in Anspruch nehmen. Wenn dann doch irgendwann eingegriffen wird, beispielsweise weil die psychische Erkrankung eines Kindes in der Schule oder in Betreuungseinrichtungen auffällt, ist es häufig zu spät.

Die psychischen Erkrankungen meiner Eltern sind dafür bedrückende Beispiele. Sie haben sich über viele Jahre aufgestaut, ohne dass meinen Eltern wirksam geholfen werden konnte. Und sie wurden an meinen Bruder weitergereicht, dem man letztlich auch nicht wirksam helfen konnte.

Armut macht Angst

Dauerhafte Geldsorgen sind nicht nur ein erheblicher Stressfaktor, sie machen auch Angst. Wenn kein Geld für eventuell notwendige Reparaturen oder Anschaffungen zurückgelegt werden kann, steht ständig die Sorge im Raum, etwas könnte kaputtgehen. Da werden Kinder andauernd diszipliniert, damit sie »brav« sind. Eine defekte Waschmaschine kommt einer Katastrophe gleich. Und dass Kinder ständig aus allen Sachen, speziell Schuhen, herauswachsen, wird zum echten Problem. Wer immer mit Angst im Nacken herumläuft, kommt nie zur Ruhe. Und wer keine Ruhe findet, tut sich schwer damit, strukturiert zu denken oder Dinge zu planen.

Auf Kinder wirkt sich das alles massiv aus. Die World Vision Kinderstudie 2017 hat festgestellt, dass Kinder aus armen Familien insgesamt viel mehr Ängste zeigen als andere. Sie haben überdurchschnittlich oft Angst vor schlechten Schulnoten (67 Prozent), vor körperlicher Gewalt (55 Prozent), vor Ausgrenzung und Mobbing (42 Prozent) und vor Arbeitslosigkeit der Eltern (47 Prozent). Ein ruhiges, sorgloses und strukturiertes Kinderleben sieht anders aus!

Eine gerade veröffentlichte Studie der Universität Leipzig ist denn auch zu der Feststellung gekommen, dass arme Kinder schlechter schlafen, weil sie die Sorgen ihrer Eltern mitbekommen und selbst darunter leiden.

Diese Ruhelosigkeit und dieser Mangel an Struktur haben mir als Kind ganz besonders stark zugesetzt. Sie waren mit ein Grund, warum ich es irgendwann in meiner Familie nicht mehr ausgehalten und darum gebeten habe, ausziehen zu dürfen.

Armut macht misstrauisch

Wer in einer Umgebung lebt, die von Ängsten, Sorgen, Stress und Druck geprägt ist, tut sich selbstverständlich schwer damit, Vertrauen zu fassen. Auch das gilt für Kinder und Erwachsene gleichermaßen. Meine Eltern, vor allem meine Mutter, waren extrem misstrauisch. Sie betrachtete ihre gesamte Umwelt mit dem gehetzten Blick eines Menschen, der überall Feindseligkeit und drohenden Betrug vermutet. Sie war misstrauisch den Nachbarn gegenüber, den Mitarbeiter*innen auf den Ämtern, der Schule, ja sogar meinem Vater gegenüber. Und als ich mich entschlossen hatte, nicht mehr bei meiner Familie zu leben, traf dieses Misstrauen auch mich. Denn ich war ja derjenige, der unsere Familie verraten hatte. Mir konnte man nicht trauen, denn ich hatte die Familie im Stich gelassen. Meine Mutter hat mir das nie verziehen. Sie hat mehr als einmal erklärt, ich sei nicht mehr ihr Sohn.

Armut schadet der emotionalen Entwicklung

Für Kinder ist dieses Klima des Misstrauens besonders bedrohlich, weil es ihre emotionale Entwicklung beeinträchtigt. Wie soll ein Kind, das nie so etwas wie Sorglosigkeit erlebt, ein Grundvertrauen entwickeln, das ihm emotionale Bindung möglich macht?

Ich habe das selbst ganz massiv erlebt und leide bis heute unter den Folgen. In dem Klima des Misstrauens, in dem ich meine ersten Jahre verbrachte, habe ich schon früh gelernt, dass es besser ist, keine Gefühle nach außen zu zeigen und auch innerlich davon Abstand zu halten. Das hat aber dazu geführt, dass ich den Zugang zu meinen eigenen Gefühlen verloren oder vielleicht sogar nie richtig gefunden habe.

Hätte ich meine Großmutter nicht gehabt, wäre alles noch viel schlimmer gewesen. Denn meine Eltern waren ganz klar auch emotional verarmt. Ihre Beziehung war eine Zweckgemeinschaft und ist es geblieben. Nur so ist zu erklären, dass sie sich nach einer Phase der Trennung wieder zusammengetan und sogar wieder geheiratet haben. Es war wohl irgendwie einfach praktischer so. Sie sind wie zwei Ertrinkende, die sich aneinanderklammern. Wirklich gegenseitig helfen können sie sich nicht.

In meiner Zeit in der Jugendhilfe wurde diese emotionale Armut besonders deutlich. Dass ich eine sehr liebevolle und mütterliche Betreuerin gefunden habe, war mein großes Glück. Aber im Großen und Ganzen steht in der Jugendhilfe emotionale Wertschätzung nicht an oberster Stelle der Prioritätenliste. Und im Umgang mit anderen Jugendlichen herrschte, von wunderbaren Ausnahmen wie meinem Freund David abgesehen, eher das Gesetz des Dschungels als ein Klima emotionaler Wärme. Abgesehen davon, dass ich mit meinen elf Jahren bereits so sehr von meinen eigenen Gefühlen abgekoppelt war, dass ich emotionale Wärme nur sehr schwer annehmen konnte. Wenn mich jemand in den Arm nahm, wurde ich ganz starr und ließ es, wenn nötig, über mich ergehen. Geweint habe ich nur ganz selten. Gefühle – sowohl meine eigenen als auch die anderer Menschen – waren mir insgesamt eher unheimlich. Stichwort »Misstrauen« …

Irgendwann habe ich dann aber gemerkt, dass ich doch einen Zugang habe, und zwar über das Mitfühlen. Meine ganze Entwicklung hat dazu geführt, dass ich eine starke Fähigkeit zur Empathie entwickelt habe. Als ich dann anfing, mich für Kinderrechte zu engagieren, kamen die Kraft für dieses Engagement und die Lust dazu aus dieser Quelle: der Empathie, dem Mitfühlen mit anderen Kindern. Und dann kam auf dem UWC die Förderung unserer Fähigkeit dazu, Dinge stark zu reflektieren. Beides zusammen hilft mir heute, Emotionen zu verstehen – auch meine eigenen.

Darüber bin ich froh, denn selbstverständlich ist das nicht. In diesem Bereich ist für mich gar nichts selbstverständlich. Wenn ich es ganz drastisch sagen soll: Ich weiß eigentlich nicht, wie sich »richtige« Liebe anfühlt. Ich muss mir dieses Gefühl und die Erfahrung damit mühsam und über den Kopf »erarbeiten«. Wenn ich in einer Beziehung bin, frage ich mich, ob das, was ich empfinde, Liebe ist. Sicher bin ich mir nicht, ich habe viel zu wenige Vergleichsmöglichkeiten. Ich frage mich auch, ob ich irgendwann in der Lage sein werde, meinen eigenen Kindern Liebe zu schenken …

Über Jahre hinweg kam bei jedem Kontakt mit meinem Vater am Ende von ihm der Satz: »Ich hab dich lieb.« Und ich hatte keine Ahnung, ob er weiß, was er da sagt. Ich wusste auch nicht, ob er es aufrichtig meint und tief drinnen spürt, oder ob er es nur sagt, weil er meint, das macht man eben so. Irgendwann habe ich ihn gebeten, diesen Satz nicht mehr zu sagen. Ich möchte ihn nur dann hören, wenn er wirklich aus dem Herzen kommt.

Macht Armut dumm?

Ein gefährliches Thema! Ich weiß, dass ich mich schon mit der Frage auf dünnes Eis begebe. Aber sie ist wichtig, wenn wir grundsätzlich davon ausgehen, dass Bildung Wege aus der Armut eröffnet. Wenn aber Bildung aufgrund kognitiver Defizite gar nicht oder nur eingeschränkt möglich ist? Was dann?

Kinder aus armen Familien werden schlechter ernährt, sind körperlich weniger gesund und haben schon von Geburt an schlechtere Entwicklungschancen als Kinder aus Familien, die nicht von Armut betroffen sind. Auch das Risiko, dass sie bereits vor ihrer Geburt durch

Alkohol oder Nikotin geschädigt werden, ist deutlich höher. Sie zeigen häufiger Lern- und Entwicklungsstörungen, haben öfter auch sprachliche Defizite und Schwierigkeiten, das zu verbalisieren, was sie denken.

Das ist schon schlimm genug. Noch schlimmer ist jedoch: Diese Kinder werden nicht etwa mehr, sondern weniger gefördert als ihre Altersgenoss*innen mit besseren Startbedingungen. Sie bekommen weniger Frühförderung, werden häufiger aus den Regelschulen abgeschoben, und man unternimmt zu spät zu wenig, wenn sie Verhaltensauffälligkeiten zeigen. Dadurch, dass sie häufig Vorsorgeuntersuchungen verpassen, werden mögliche Entwicklungsverzögerungen zu spät festgestellt, und wenn doch, sind ihre Eltern oft schon mit der Frage überfordert, was man denn nun unternehmen soll. Ergotherapeutische oder logopädische Betreuung würde ihnen theoretisch zur Verfügung stehen, aber wie sollen sich Eltern durch das Gestrüpp von Krankenkassenanträgen wühlen, die schon damit überfordert sind, ihre Termine beim Jobcenter einzuhalten?

Und ja, der Intelligenzquotient dieser Kinder liegt im Schnitt um einige Punkte niedriger als bei Kindern aus Familien mit einem Durchschnittseinkommen.

Natürlich kann man den herkömmlichen Intelligenztests kritisch gegenüberstehen, und sie sind ja auch nicht unumstritten. Natürlich kann man sagen: Die klassischen Tests sind für Mittelschichtkinder gemacht und erfassen andere Fähigkeiten nicht, die Kinder aus armen Familien vielleicht stärker ausbilden: Spontaneität, ein weniger verkopftes, eher ganzheitliches Denken.

Und man kann vielleicht auch sagen: Unsere Schulen mit ihrer Betonung von Abstraktionsvermögen, analytischem Denken, Selbstdisziplin, Zielorientierung und Schriftlichkeit sind keine guten Orte, um Kinder zu fördern, die aus einer ganz anderen Kultur kommen, wie sie in armen Familien vorherrscht.

Alles möglich. Nur Tatsache ist: So sind unsere Schulen. Und der Weg hinaus aus der Armut führt durch diese Schulen, so wie sie eben sind, und das Maß an Bildung, das sie auch armen Kindern vermitteln. Es bringt nichts, über diese Form von Bildung zu jammern. Wir brauchen Mittel – und das heißt auch: finanzielle Mittel – für die Bildungsförderung von Kindern, die schlechtere Startchancen haben.

Eine gezielte Förderung von Kindern mit schlechten Startbedingungen in Kita, Tagesgruppen und Schulen ist aufwendig und teuer, und in einem Gesundheitssystem, das nur noch nach marktwirtschaftlichen Gesetzen funktioniert und Patient*innen als Kund*innen sieht, gibt es dafür zu wenig Geld. Deshalb passiert in dieser Richtung in Deutschland viel zu wenig.

Das bekannteste Beispiel für eine solche Intensivförderung war zum Beispiel das amerikanische *Milwaukee Project* aus den Sechzigerjahren, bei dem man Kinder aus einem extrem armen Stadtviertel vom Säuglingsalter an in ihrer Intelligenzentwicklung gezielt unterstützte. Mit großem Erfolg, aber eben nur für einige wenige Kinder.

Nein, Armut macht nicht dumm. Mangel an Förderung aber unter Umständen schon. Und ein Mangel an Bildung ist eins der größten Armutsrisiken, die wir kennen.

Macht Armut kriminell?

Noch eine gefährliche Frage. Aber wenn wir uns schon auf dünnem Eis bewegen, dann auch gleich richtig. Es gibt leider Hinweise darauf, dass Kinder und Jugendliche aus armen Familien überrepräsentiert sind, wenn es um kriminelles und/oder aggressives Verhalten geht. Warum das so ist, darüber wird unter Experten gestritten.

Ich glaube, dass diese Jugendlichen resigniert haben, was die gesellschaftlich akzeptierten Verhaltensweisen angeht. Von klein auf haben sie erlebt, dass sie weniger Chancen haben und dass ihnen auch angepasstes Verhalten nichts nützt. Also probieren sie auf illegalen Wegen, Erfolg zu haben. Es ist ein bisschen so wie bei meiner Mutter, die immer davon träumte, einen großen Lottogewinn zu haben und dann endlich, endlich alle Probleme hinter sich lassen zu können.

Wenn dann noch die Erfahrung von gesellschaftlicher Ablehnung und ein Mangel an positiven Vorbildern dazukommen, wird es echt gefährlich.

Das alles hat nur bedingt mit Armut zu tun. Deshalb sage ich ganz klar: Nein, Armut macht nicht kriminell. Erfahrungen von Ausgrenzung und Ablehnung aber unter Umständen schon. Kinder und Jugendliche aus armen Familien brauchen dringend Förderung und das Gefühl, Teil dieser Gesellschaft zu sein, damit sie nicht in kriminelle Milieus abrutschen.

Armut entwertet und radikalisiert

Es gibt in unserer Gesellschaft viele Orte, an denen Menschen, die in Armut leben, so behandelt werden, als wären sie weniger wert als andere. Das ist schon schlimm genug. Jeder Mensch braucht Wertschätzung von außen, wenn er seinen eigenen Wert erkennen und ein positives Selbstwertgefühl entwickeln soll. Und alle Studien zeigen ebenso wie meine eigenen Erfahrungen und Beobachtungen: Kinder, die in Armut aufwachsen, spüren, dass sie weniger wertgeschätzt werden. Und daraus folgt, dass sie ein deutlich geringeres Selbstwertgefühl haben als andere Kinder. Sie schätzen sich selbst negativer ein, halten sich beispielsweise für schlechtere Schüler*innen, unabhängig von ihren tatsächlichen Leistungen. Sie fühlen sich abgewertet, und sie werten sich selbst noch zusätzlich ab. Ich weiß noch sehr genau, wie es mir in der Grundschule in dieser Hinsicht ging. Hätte ich nicht die großartige Betreuung in der Tagesgruppe erlebt, wäre ich einfach untergegangen. Ich hatte ganz klar das Gefühl, weniger wert zu sein als die Kinder aus »besseren« Familien. Es stimmt einfach nicht, dass Kinder so etwas nicht merken und sich ganz unbeschwert mit allen Lebenssituationen arrangieren.

Aber damit ist es nicht getan, mir geht es hier um ein viel weiteres Feld: um die Wertvorstellungen, die Menschen entwickeln. Diese Wertvorstellungen, die im Laufe der individuellen Entwicklung zu ganzen Wertesystemen werden, haben ziemlich sicher etwas mit dem eigenen

Selbstwertgefühl zu tun. Denn wer ständig Abwertung und Entwertung am eigenen Leib erfährt und nicht genug inneren Wert empfindet, muss sich sozusagen ein äußeres Korsett an Werten zulegen, das ihn stützt.

Es gibt auch dazu Untersuchungen und Statistiken, allen voran die *World Values Survey,* eine weltweite Langzeitstudie über soziokulturelle, moralische, religiöse und politische Werte. Sie wird schon seit 1981 regelmäßig durchgeführt. Anhand dieser Studie kann man unter anderem erkennen, wie sehr das Aufwachsen in Armut das Wertesystem von Menschen prägt. Wer in Armut groß geworden ist, neigt im Erwachsenenalter beispielsweise eher zu einer materialistischen Einstellung. Kein Wunder: Wenn Kinder von Anfang an Mangel an materiellen Gütern – auch an den ganz elementaren Dingen wie Essen und Kleidung – erleben, werden diese materiellen Güter ein Leben lang einen hohen Stellenwert behalten. Ein ganz drastisches Beispiel dafür sind ältere Menschen, die Krieg und Hunger erlebt haben: Die meisten von ihnen haben eine große Scheu davor, Essen wegzuwerfen. Sie würden selbst ein angeschimmeltes Brot eher retten, indem sie den Schimmel wegschneiden und den Rest essen, obwohl das erwiesenermaßen gesundheitsschädlich ist: Sie können einfach nicht anders.

Menschen, die in Armut aufgewachsen sind, neigen aber offenbar auch insgesamt eher zu konservativen Werten. Sie sind beispielsweise eher religiös und patriotisch eingestellt. Selbst gesellschaftspolitische Wertvorstellungen lassen sich offenbar mit einem Aufwachsen in Armut in Verbindung bringen: Homophobie, Fremdenfeindlichkeit, übersteigerter Nationalismus, Ablehnung von Globalisierung. Und die neueren politischen Bewegungen zu den Themen Umwelt (Klimawandel!), Frieden und Gleichstellung werden ganz klar eher von Menschen getragen, die aus einem nicht armen Umfeld stammen. Von Menschen, die in Armut aufgewachsen sind, werden die Forderungen dieser politischen Strömungen eher als »Spinnerei« abgetan oder sogar als Angriff empfunden. Dass ihre Haltung von Politikern wie dem US-Präsidenten Donald Trump oder dem brasilianischen Staatspräsidenten Jair Bolsonaro schamlos ausgenutzt wird, um den Reichen im Land mehr Spielraum zum Beispiel für die Ausbeutung der Umwelt zu verschaffen, sehen sie nicht.

Ich würde den Zusammenhang zwischen Armut und Radikalisierung so erklären: Wertvorstellungen und Wertesysteme sind etwas anderes als Meinungen. Sie verändern sich nicht so leicht, eben weil sie ganz fest zum Selbstbild eines Menschen gehören. Und je mehr »Korsett« ein Mensch braucht, um seinen Mangel an innerem Selbstwertgefühl auszugleichen, desto starrer und weniger veränderlich sind seine Wertvorstellungen. Sein Wertesystem ist eine Zuflucht angesichts einer Welt, die dieser Mensch als verwirrend, beängstigend und bedrohlich empfindet. Es ist sein Rettungsboot, wenn das Leben in heftiges Fahrwasser gerät. Und an dieses Rettungsboot wird sich dieser Mensch klammern. Er kann gar nicht anders. Er hat ja eine Riesenangst vor dem, was da draußen vor sich geht.

Werden diese Werte nun aber vom gesellschaftlichen Wandel überholt, dann stellt das in der Wahrnehmung des Einzelnen eine heftige Bedrohung dar. Und es besteht immer die Gefahr, dass er auf diese Bedrohung mit einer Radikalisierung reagiert.

Im Grunde genommen kann man jede Art der Radikalisierung so erklären. Und da politische (und auch religiöse) Radikalisierung eine brandgefährliche Sache ist, stellen die Erfahrungen von Entwertung und Abwertung, die schon Kinder aus armen Familien in Deutschland machen, eine echte Bedrohung dar. Denn wenn diese Menschen sich an starre konservative Wertvorstellungen klammern, können sie zum Opfer rechter »Rattenfänger« werden. Wer genau hinsieht und die Augen nicht vor dem Problem Kinderarmut verschließt (nach dem Motto: »In Deutschland gibt es doch gar keine Armut, hier muss niemand hungern«), der wird erkennen, dass auch bei der Kinderarmut angesetzt werden muss, um das demokratische System zu stützen.

Fazit: Wir müssen ganzheitlich über Kinderarmut nachdenken

Es zeigt sich: Was Armut mit der Seele macht, hat nicht nur individuelle Folgen. Unsere ganze Gesellschaft ist davon betroffen, wenn Kinderarmut seelische Verletzungen verursacht. Denn unsere Seele ist keine Privatsache. Sie bestimmt unseren Umgang mit uns selbst, unseren Mitmenschen und mit der ganzen Welt.

Armut ist nicht nur ein materielles Problem und entsprechend nicht nur einfach mit etwas mehr Geld zu beheben. Abgesehen davon, dass eine echte Förderung armer Kinder »richtig viel« und nicht nur »etwas mehr« Geld kosten würde: Wir müssen viel ganzheitlicher über das Thema Kinderarmut nachdenken, wenn wir Kindern aus armen Familien wirklich eine Chance bieten wollen, gesellschaftliche Teilhabe zu erleben und sich selbst aus der Situation von Armut zu befreien. Das ist dieses Land ihnen und sich selbst schuldig.

DANACH

Interviews und Fernsehauftritte

Viele Leute haben mich zum ersten Mal gesehen, als ich 2018 bei *Maischberger* eingeladen war. Es ging in dieser Sendung mit dem Titel »Die unfaire Republik« um die sogenannte »neue Armut«. Außer mir nahmen bekannte Persönlichkeiten wie Sahra Wagenknecht, der »Selfmade-Millionär« Ralf Dümmel, die Wirtschaftsjournalistin Anja Kohl und der Wirtschaftsjournalist Rainer Hank teil.

Dass ich dort als »Betroffener« eingeladen war, hatte eine längere Vorgeschichte. Eine ganze Weile vorher war ich als Botschafter des SOS-Kinderdorfs beim *ZEIT*-Wirtschaftsforum dabei gewesen. Dort hatte ich auch einige Journalist*innen von der *ZEIT* kennengelernt und war auf eine von ihnen zugegangen, weil ich sie dazu bewegen wollte, dass sie etwas über Kinderarmut in Deutschland schrieb. Daraus wurde zu diesem Zeitpunkt nichts, aber wenig später kam sie auf mich zu und meinte, sie wolle etwas über mich und meinen Weg schreiben. Inzwischen war ich schon am UWC in Freiburg.

So wurde ich zur »Story« über Bildungsgerechtigkeit. Der Artikel mit dem Titel »Er wird es schaffen« erschien im März 2018. Danach interessierte sich unser Regionalsender, der SWR, für mich, und von da aus ging es dann eben zu Sandra Maischberger.

Ich war total aufgeregt. Da ich jemanden zur Begleitung mitbringen durfte, fragte ich meinen besten Freund David, ob er als moralische Unterstützung mitfahren wolle, und war unheimlich froh, als er Ja sagte. Allein wäre ich mir da ganz schön verloren vorgekommen. Wir flogen also von Basel nach Köln und wurden mit einer Limousine abgeholt. So ging es ins Studio, wir wurden für die Aufnahmen vorbereitet, es gab ein kurzes Kennenlerntreffen, und dann ging die Aufzeichnung auch schon los. Die Sendung ist ja nicht live, sondern wird aufgezeichnet, dann aber wenig später gesendet.

Hinterher gab es ein fettes Buffet, ich konnte mich mit den anderen Teilnehmern noch unterhalten, dann bin ich mit meinem Kumpel ins Hotel gefahren. Ein bisschen geschockt waren wir, dass es sich um ein wirklich ausgezeichnetes Hotel handelte und dass auf dem Zimmer eine Flasche Champagner bereitstand (die wir freilich bezahlen mussten). Nachdem wir gerade in der Sendung über Armut und Gerechtigkeit geredet hatten, fand ich das ziemlich dekadent. Aber wir haben die Flasche dann doch aufgemacht, uns aufs Bett gelegt und alles in der Mediathek noch mal angesehen.

Spannend fand ich, wie die anderen Teilnehmer der Talkshow auf mich reagierten. Ralf Dümmel war echt nett zu mir, auch wenn ich ihn als ein klein wenig herablassend empfand. Er hat selbst einen harten Weg hinter sich und weiß durchaus, woher er kommt. Das merkte man auch seinen Aussagen in der Sendung an. Gut fand ich zum Beispiel, dass er sagte, er habe keine Lust auf Geldjonglierereien, sondern stecke seine Kraft lieber in die Entwicklung neuer Produkte. Insbesondere empfand ich es als sehr angenehm, dass er sich seiner Verantwortung als Unternehmer bewusst ist und weiß, wie viele Existenzen von seinem Handeln abhängen. Aber ich merkte schon auch, dass er versuchte, sich zu rechtfertigen, warum er so viel Geld verdient, wie er es nun mal tut. Seine unternehmerische Verantwortung, sagte er, sei Grund und Rechtfertigung seines hohen Einkommens. Folgt man dieser Argumentation, dann müssten Pflege-, Lehr- und Betreuungskräfte auch deutlich mehr verdienen. In sozialen Einrichtungen, Schulen und Kitas übernehmen sie ein hohes Maß an Verantwortung für andere Menschen, ihre Geschichten, ihre Potenziale und schlussendlich ihr Schicksal.

Rainer Hank reagierte, glaube ich, eher ablehnend auf mich, weil ich mit meinen Erfahrungen aus erster Hand seine Argumente entkräften konnte, die mir oftmals sehr neoliberal vorkamen. Dass sich jemand heute noch hinsetzt und sagt: »Wer einen Vollzeitjob haben will, der kriegt ihn auch«, das hat mich ehrlich empört. Ich denke, das hat man mir im Fernsehen auch ganz deutlich angesehen. Gern würde ich ihm im Nachhinein den Aufsatz von David Orr »What Is Education For?« ans Herz legen, in dem der Autor zeigt, dass eine rein volkswirtschaftliche Argumentation alles andere als sozial ist und dass die Absicht wahrer Bildung immer mit der Absicht wahrer sozialer Verantwortung einhergeht.

Sahra Wagenknecht ist ohnehin eine sehr distanzierte Frau. Sie war sehr ruhig im Ton, aber im direkten

Miteinander wirkt sie anders. Grundsätzlich fällt es mir schwer, mich mit einer Frau auseinanderzusetzen, die im Grundsatz eine gute Perspektive vertritt und in ihren Reden soziale Ungerechtigkeit anspricht, auf der anderen Seite aber durch zum Teil populistische Aussagen auf Wählerfang geht. Außerdem lebt sie in ausgesprochen privilegierten Verhältnissen. Das erschien mir in der Diskussion, aber auch schon davor, eher unglaubwürdig.

Gut fand ich wieder Anja Kohl, die man vom Börsenbericht her kennt. Sie hat sehr vernünftige Forderungen gestellt und ganz klar gesagt, es muss in einer solchen Diskussion vor allem um die Chancen gehen, aus der Armut rauszukommen.

Sandra Maischberger selbst war total sympathisch und sehr interessiert an mir und meiner Geschichte. Das gilt im Übrigen auch für ihr gesamtes Team, mit dem ich nach wie vor zusammenarbeite. Es begleitet meinen Weg weiterhin mit der Kamera, irgendwann soll eine Dokumentation daraus werden.

Spannend war aber auch, was nach diesem Fernsehauftritt passierte. Auf einmal interessierten sich Zeitungen, Rundfunk, Onlineportale und sogar Verlage für mich. Ich hatte mit meiner Geschichte den Schritt in die Öffentlichkeit gewagt und damit viele Menschen erreicht. Als ich davon erzählte, dass Armut für mich auch bedeutet hat, während der Fußball-EM Flaschen sammeln zu gehen, kein Geld fürs Mensaessen zu haben und schon gar nicht für ein Eis am Nachmittag mit meinen Freunden, hat das viele erschreckt. In den Tagen nach der Sendung gab es auch im Internet viele positive Reaktionen. Für mich war das auf der einen Seite ein seltsames Gefühl – ich bin nicht wirklich scharf auf irgendeine Art von »Berühmtheit«. Auf der anderen Seite empfand ich eine Verpflichtung. Mir selbst und anderen gegenüber, die in einer ähnlich schwierigen Situation aufwachsen.

Deshalb habe ich mich dann auch darauf eingelassen, aus meiner Geschichte ein Buch zu machen. Denn schlussendlich ist es nicht meine Geschichte, sondern eine, die ich im Namen all jener erzähle, die nicht gehört werden. Es ist nicht nur mein Buch, sondern das vieler Menschen, die sozial benachteiligt sind.

Ich stehe für viele, viele Kinder und Jugendliche in Deutschland. Ich weiß ganz genau, wie es sich anfühlt, in Armut aufzuwachsen. Damit unterscheide ich mich von vielen Journalist*innen und Politiker*innen, die über uns reden und unser Schicksal mit bestimmen. Wenn ich also, indem ich darüber rede und schreibe, anderen Kindern helfen kann, dann will ich das unbedingt tun.

Im Jugendhaus des SOS-Kinderdorfs

Nach dem kurzen Aufenthalt in der Wohngruppe meines Bruders kam ich 2012 ins SOS-Jugendhaus, das zu SOS-Kinderdorf gehört. Diese Organisation ist in der Zeit nach dem Zweiten Weltkrieg (1949) von dem Österreicher Hermann Gmeiner gegründet worden, wobei SOS, anders als man meinen könnte, nicht nur für das Hilfesignal steht, sondern die Abkürzung des lateinischen Begriffs »Societas Socialis« ist, was so viel heißt wie »soziale Gemeinschaft«.

Ursprünglich wurden die SOS-Kinderdörfer eingerichtet, um Kindern, die durch den Zweiten Weltkrieg verwaist oder verlassen worden waren, ein neues Zuhause zu geben. Das sah so aus, dass eine Kinderdorfmutter – lange Zeit waren es wirklich nur Frauen, die auch nicht verheiratet waren und keine eigene Familie hatten – in einem Haus mit mehreren Kindern (heute sind es in der Regel sechs) als Familie zusammenlebte, bis diese Kinder erwachsen wurden und die Familie verließen. Ich habe Kinderdorfmütter kennengelernt, die seit einigen Jahren Rentnerinnen sind und sozusagen die Anfänge miterlebt haben. Viele von diesen Frauen – das gilt aber auch für die spätere Generation – haben heute noch Kontakt zu ihren Kindern, sie sind wirklich Mütter geworden. Wow, kann ich da nur sagen.

Heute haben sich die Verhältnisse natürlich verändert, die Zeit bleibt ja schließlich nicht stehen. Es gibt auch Kinderdorfväter, und neben den klassischen Kinderdorffamilien gibt es viele andere Formen der Unterstützung für Kinder und Jugendliche. Geblieben ist aber der Zusammenhalt, der dem in einer Familie sehr ähnlich ist. Im Leitbild der Organisation heißt es denn auch: »Wir geben in Not geratenen Kindern eine Familie. Wir helfen ihnen, ihre Zukunft selbst zu gestalten.«

Genauso habe ich es erlebt. Im Jugendhaus in Kaiserslautern, wo ich von 2012 bis 2017 lebte, ging es genau darum, uns zu helfen, ein eigenes Leben aufzubauen. Dass es dort feste, verlässliche Strukturen gab, war für mich ein ganz entscheidender Faktor, damit das gelingen konnte. Das Ziel der SOS-Kinderdörfer, »Kindern ein sicheres Zuhause zu geben«, bedeutet ja nicht nur äußere, sondern auch innere Sicherheit. Und dazu gehörten für mich eben vor allen Dingen Ruhe und Verlässlichkeit. Beides Dinge, die ich in meiner eigenen Familie kaum kennengelernt hatte.

Als ich mit meinen elf Jahren ins Jugendhaus kam, war ich für dortige Verhältnisse noch sehr jung. Die anderen Jugendlichen dort waren zwischen 15 und 19 Jahre alt. Entsprechend hatte ich eine Art Sonderstatus und wurde, vor allem in der Anfangszeit, auch ganz besonders intensiv betreut. Meine hauptsächliche Betreuerin Anja wurde zu meiner neuen Mutter. Und sie ist es bis heute geblieben.

Dass man sich so sehr um mich kümmerte, dass ich mir um Essen, Wäsche und so weiter keine Gedanken mehr machen musste, war fremd und gewöhnungsbedürftig, aber auch ein großer Luxus für mich. Ich werde nie vergessen, als ich mal ein »teures« Duschgel aus dem Drogeriemarkt aussuchen durfte. Das war wirklich etwas ganz Besonderes. Einmal nicht aufs Geld achten müssen, und wenn es ein noch so kleiner Bereich war!

Ansonsten gab ich mir große Mühe, mich an die Älteren im Jugendhaus anzupassen. Ich war es ja gewohnt, alles selbst zu erledigen, und schon früh sehr selbstständig geworden. Ich wollte kein Kind mehr sein und im Jugendhaus auch nicht in eine Kinderrolle zurückfallen. Um mich herum lebten ja lauter ältere Jugendliche und Erwachsene. Ich wollte so geachtet und behandelt werden wie sie – als junger Erwachsener, nicht als Kind.

Wie ich bereits erzählt habe, habe ich (leider!) schon früh gelernt, dass man besser nicht zu viele Gefühle zeigt. Ich habe in meinem Leben zum Beispiel sehr selten geweint. Das letzte Mal ist mittlerweile auch schon wieder gut eineinhalb Jahre her. Weinen bedeutet Schwäche, so habe ich es gelernt, so waren die Spielregeln in meiner Familie und auch in meinem weiteren Umfeld. Und wer Schwäche zeigt, der wird nicht etwa in den Arm genommen und getröstet, sondern muss damit rechnen, dass irgendjemand diese Schwäche gegen ihn verwendet. Kein Wunder, dass ich Trost, Zuspruch und Freundlichkeit nur schlecht annehmen konnte und dass ich so misstrauisch und widerborstig war. Dass mich jemand in den Arm nahm, war mir noch lange Zeit eher unheimlich.

Es hat lange gedauert, bis ich es nicht nur widerwillig über mich ergehen ließ, sondern annehmen und genießen konnte.

Struktur bekam unser Leben im Jugendhaus unter anderem durch ein Punktesystem. Man kann sich ja vorstellen, dass dort Kinder und Jugendliche zusammenkamen, die lange Zeit in ziemlich chaotischen Verhältnissen gelebt hatten. Da muss man sich pädagogisch schon was einfallen lassen, allzu weich darf das nicht laufen. Ich konnte mich in dieses System leicht einfügen, weil ich etwas Ähnliches schon aus meiner Tagesgruppe kannte und dort immer als sehr positiv erlebt hatte.

Im Jugendhaus gab es zum Beispiel Punkte für ein ordentliches, sauberes Zimmer und dafür, dass man sich gepflegt präsentierte, regelmäßig duschte, sich ordentlich anzog und so weiter. Dazu wurden individuelle Ziele vereinbart, und wenn man sich an die Vereinbarungen hielt, gab es dafür ebenfalls Punkte. Bei mir war das zum Beispiel eine Weile die Vereinbarung, nicht mehr so neugierig herumzuschnüffeln. Das fiel mir echt schwer, ich bin nun mal von Natur aus sehr neugierig und empfinde das auch eher als eine positive Eigenschaft. Aber mir ist schon klar, dass ich anderen Leuten damit ab und zu auf die Nerven gehe …

Außerdem bekam ich während meiner Anfangszeit im Jugendhaus die Auflage, regelmäßige Fußbäder zu nehmen. Meine Füße stanken nämlich erbärmlich, weil ich so lange Zeit nur ein Paar Schuhe besessen hatte, die noch dazu aus sehr billigem Material und in keinem besonders guten Zustand gewesen waren. Vernünftige

Schuhe bekam ich sofort, der Mief besserte sich nach und nach.

An die Punkte waren bestimmte Rechte und Freiheiten geknüpft. Das galt vor allem für die Zeit so mit fünfzehn, sechzehn. Man stieg normalerweise mit »Phase vier« ein (die Phasen eins bis drei waren Kindheitsphasen, in denen es noch nicht so viel Selbstständigkeit und Freiheit gab), arbeitete sich dann hoch und kam in die sogenannte Selbstständigkeitsphase.

Die Selbstständigkeitsphase brachte neue Rechte (und Pflichten) mit sich. Ich bekam zum Beispiel jetzt die volle Verfügung und Verantwortung für mein Geld. Bis dahin gab es getrennte Budgets wie Taschengeld, Kleidergeld (zu dieser Zeit waren das 45 Euro im Monat), Hygienegeld (25 Euro). Wenn ich mir etwas gekauft habe, musste ich das mit einer Quittung nachweisen, und es wurde von meinem »Konto« abgezogen. In der Selbstständigkeitsphase (kurz SSP) durfte und musste ich mir mein Gesamtbudget selbst einteilen und brauchte auch keine Quittungen mehr abzuliefern. Dieses Recht bekommt man, wenn man in kleineren Bereichen gezeigt hat, dass man verantwortungsbewusst mit Geld umgehen kann. Das Budget ist absolut ausreichend, aber nicht besonders üppig, es verlangt also einiges Geschick, damit gut zurechtzukommen.

Das Phasensystem hat sich inzwischen ein wenig geändert, aber das Prinzip ist erhalten geblieben. Eine klare Struktur und eine gute Anleitung auf dem Weg in die Selbstständigkeit und das Leben als Erwachsener – darum geht es. Ich persönlich habe immens von diesem System profitiert. Man könnte kritisch anmerken, dass

Kinder und Jugendliche, die in Einrichtungen der Jugendhilfe leben, viel schneller erwachsen werden müssen und viel weniger behütet sind als Kinder und Jugendliche, die in einer »normalen« Familie aufwachsen. Aber klar: Mit achtzehn, allerspätestens mit einundzwanzig Jahren ist Schluss. Dann wird man aus dem Nest geschubst und muss mit seinem Leben selbst klarkommen. Da muss man sich mit dem Erwachsenwerden ein bisschen mehr beeilen, als wenn man in aller Ruhe noch ein paar Jahre im Hotel Mama leben darf. Für mich war das gut und genau richtig. Für andere kann das auch eine Last sein.

Eine klare Struktur war auch das übergreifende Thema in unserem Tagesablauf. Wir standen früh auf, gingen ins Bad, Frühstück gab es von 6:30 bis 7:20 Uhr. Danach fuhr ich mit dem Zug eine Haltestelle zum Kaiserslauterer Hauptbahnhof. Wenn ich gegen halb zwei nach Hause kam, gab es Mittagessen. Ab 14 Uhr war Lernzeit, in den ersten Jahren verpflichtend. In dieser Zeit habe ich meine Hausaufgaben gemacht und für die Schule gelernt.

Für die Vorbereitung des Abendessens in der Gruppe waren wir gemeinsam verantwortlich. Reihum gingen wir Brot und sonstige Zutaten kaufen, bereiteten das Abendessen vor, deckten den Tisch und räumten hinterher wieder ab. Am Wochenende haben wir auch, unter Anleitung, selbst gekocht. Allerdings war und ist Kochen noch immer nicht meine größte Stärke, trotz aller Bemühungen der Betreuer …

Man sieht, wir wurden nicht mit Full Service verwöhnt, sondern wirklich von Anfang an auf ein selbstständiges Leben vorbereitet. Mit zwölf Jahren habe ich angefangen, meine Wäsche selbst zu waschen. Einmal in der Woche war Waschtag. Ich muss allerdings zugeben, dass ich auch auf diesem Gebiet bis heute kein Experte bin. Gut, dass es bei modernen Waschmaschinen so etwas wie einen Automatik-Waschgang gibt …

Der Alltag war also im Grunde genommen wie in einer Familie, wenn man mal davon absieht, dass wir neun oder zehn Jugendliche waren. Diese Familienstruktur ist typisch für die SOS-Kinderdörfer, kleinere Kinder leben tatsächlich in einer Familie, in einem Dorfhaus mit Betreuern, die sich als richtige Eltern verstehen.

Im Jugendhaus war es auch ganz klar so, dass wir Jugendlichen untereinander uns gegenseitig unterstützten und eine Gemeinschaft bildeten. Wir haben uns geholfen, uns aber auch kräftig gezankt, wie das halt so ist. Wir mussten uns beispielsweise darüber einig werden, was wir im Fernsehen schauen wollten, was nicht immer ganz einfach war. Ich wollte immer am liebsten Dokus sehen. Das passte den anderen mal mehr, mal weniger … Letzten Endes ging es darum, einen Konsens zu finden. Das zu lernen war echt wichtig.

Für mich der wichtigste Lerneffekt war sicher, dass ich in dieser Gemeinschaft mit Jugendlichen aus allen Bereichen der Gesellschaft zusammenkam. Wenn ich nicht schon vorher begriffen hätte, dass es falsch ist, Menschen wegen ihrer Herkunft, ihres Aussehens oder ihres Verhaltens auszugrenzen oder sich von ihnen abzuschotten, dann hätte ich es hier gelernt. Keiner von den Jugendlichen, mit denen ich im Jugendhaus zusammengelebt habe, war so gestrickt, dass man ihn oder sie komplett hätte ablehnen können. Sie waren alle Persönlichkeiten mit einer ganz eigenen Geschichte, mit Gefühlen, Träumen, Leidenschaften. Egal, wie unterschiedlich wir sein mögen, was unsere sonstigen Fähigkeiten angeht: Leidenschaft besitzt jeder von uns. Und es ist wichtig, das zu respektieren und zu fördern. An der Leidenschaft jedes Einzelnen lässt sich immer andocken.

Genau dieses Andocken, diese Förderung spielte im Jugendhaus eine sehr große Rolle. Sie war das Ziel der Betreuer, und die Jugendlichen waren dort viel eher in der Lage, eine solche Förderung anzunehmen, als zum Beispiel in der Schule. Das Vertrauen in der Gemeinschaft war dabei sehr wichtig.

Übrigens wird dieses Vertrauen leider durch den Kostendruck nicht gerade gefördert. Wie alle sozialen und pflegerischen Institutionen stehen auch die Einrichtungen der Jugendhilfe unter einem erheblichen finanziellen Druck. Sie sollen »wirtschaftlich« arbeiten und am besten immer voll besetzt sein. Sobald ein Gruppenmitglied, aus welchen Gründen auch immer, zu seiner Familie zurückgeht, zieht gleich die nächste Person ein. Da bleibt nicht viel Zeit für echten Abschied.

Durch diese Faktoren kann sich der emotionale Familienbetrieb der Jugendhilfe hin zu einer Institution verändern, die den Werteaspekt »Familie« nach und nach verliert. Das ist für Kinder und Jugendliche, die psychisch angeschlagen sind – und das sind ja die meisten auf die eine oder andere Weise –, äußerst problematisch. Und es ist auch nicht hilfreich, wenn man eine sinnvolle sozialpädagogische Arbeit leisten will. Die kostet nun mal Geld, und nicht alles, was in einer solchen Einrichtung passiert, lässt sich nach Minuten abrechnen oder einer »Kostenstelle« zuordnen. Hier wäre es ganz wichtig, dass die Einrichtungen mehr eigenen finanziellen Spielraum bekommen. Dass unsere Betreuer zum größten Teil weit über den üblichen Rahmen hinaus mit und für uns gearbeitet haben, muss hier auch erwähnt werden. Das ist nicht selbstverständlich, und dafür wird ihnen viel zu selten gedankt.

Worin sich Jugendhaus und ein Familienzuhause ansonsten ganz deutlich unterscheiden, das ist der relativ starre Rahmen. Es gab sehr feste Zeiten und sehr feste Regeln. Ausnahmen und »Auge zudrücken« war nur in ganz bestimmten Fällen vorgesehen. Es war zum Beispiel nicht erlaubt, die Freundin oder den Freund mit aufs Zimmer zu nehmen. Erst zum Ende meiner Zeit im Jugendhaus haben sich die Regeln in Bezug auf das Ausleben von Sexualität gelockert.

Nach einem Jahr im SOS-Kinderdorf stand die Entscheidung an, ob ich dort bleiben oder wieder zurück in meine Familie gehen würde. Ich finde ja unbedingt, dass Kinder und Jugendliche in allen Belangen mit entscheiden sollen, die sie angehen. Aber die Gespräche mit dem Jugendamt und der Umgang mit dem Druck, den meine Eltern ausübten, war für mich mit meinen zwölf Jahren eine ganz klare Überforderung. Davon habe ich im ersten Teil des Buchs schon berichtet.

Freiraum für Engagement

Für mich persönlich repräsentiert die Zeit im Jugendhaus auch noch in einer anderen Hinsicht etwas ganz Besonderes, was ich an keinem anderen Ort hätte erleben können: Ich konnte mich sehr breit sozial und politisch engagieren. Das war eine große Chance, es war mir wichtig, ich habe es immer gern getan und tue es bis heute. Auch, um das Gute, das ich letztlich erfahren habe, für andere Kinder und Jugendliche einzusetzen.

Schon im Jahr 2014, als ich gerade einmal zwei Jahre im Jugendhaus war, habe ich beim JuniorBotschafter-Wettbewerb der UNICEF mitgemacht. Diesen Wettbewerb hat die UNICEF von 2004 bis 2015 durchgeführt. Kinder und Jugendliche aus ganz Deutschland konnten sich als Junior-Botschafter*innen bewerben, indem sie eigene Aktionen zur Förderung der Kinderrechte vorstellten. Im Laufe der Jahre haben an diesem Wettbewerb mehr als zweihunderttausend Kinder und Jugendliche teilgenommen. Jedes Jahr gab es eine feierliche Preisverleihung. 2014 durfte ich in der Frankfurter Paulskirche den Anerkennungspreis entgegennehmen. Natürlich war ich mächtig stolz darauf. Ich hatte zusammen mit Michael, einem Mitschüler aus der Gesamtschule, die Initiative ergriffen und einige Projekte zum Thema Kinderrechte an unserer Schule durchgeführt. Wir hatten »Kinderrechtestunden« organisiert und anlässlich des Tags der offenen Tür auch eine Spendenaktion durchgeführt. Wir waren damals mit großer Leidenschaft an dem Thema UN-Kinderrechtskonvention dran. Und diese Leidenschaft erfüllt mich bis heute.

Inzwischen hat man den Wettbewerb gegen andere Aktionen ausgetauscht. Heute setzt man viel mehr auf Miteinander und gemeinsame Aktionen.

Das Jahr 2015 war dann in Sachen politisches Engagement ein echtes Turbojahr. Zuerst bin ich, kaum dass ich vierzehn Jahre alt geworden war, in die SPD eingetreten, davon erzähle ich später noch mehr. Vierzehn ist das Mindestalter …

Im selben Jahr begann die »Jugendkonsultation zur Erarbeitung eines entwicklungspolitischen Aktionsplans«, an der ich ebenfalls teilnehmen durfte. Bei dieser Veranstaltung des Bundesministeriums für wirtschaftliche Zusammenarbeit waren neben SOS auch die Gesellschaft für internationale Zusammenarbeit (GIZ), die Kreditanstalt für Wiederaufbau (KfW), die zahlreiche Entwicklungsprojekte finanziell fördert, und einige weitere NGOs beteiligt. Ich habe an dem Aktionsplan »Lasst uns gestalten« mitgearbeitet, angeleitet vom Deutschen Institut für Menschenrechte. Und bei den abschließenden Verhandlungen mit dem Ministerium und anderen Institutionen war ich als Vertreter der Jugendkonsultation mit dabei.

2015 war aber auch ein Jahr, in dem die Bundesrepublik mit großen sozialen Herausforderungen konfrontiert war. Die »Flüchtlingskrise« – ich finde das Wort schrecklich, denn es war keine Krise, sondern eine gesamtgesellschaftliche Herausforderung, die zu einem gesellschaftlichen Diskurs und leider auch zu großen Spaltungen führte – war Anlass für uns Jugend-Zivilgesellschaftsvertreter, Forderungen zu entwickeln, die auf den 3 Ps der UN-Kinderrechtskonvention basierten, nämlich den Beteiligungs-, Förder- und Schutzrechten (participation, provision, protection).

In diesem Zusammenhang sind wir viermal nach Berlin gereist und haben über ein Jahr verteilt ein umfangreiches Aktionspapier erarbeitet, das ich am Ende im Namen der Jugendkonsultation im Bundesministerium für wirtschaftliche Zusammenarbeit und Entwicklung vorstellen durfte. Das tat ich gemeinsam mit meiner zukünftigen Kollegin im UNICEF-JuniorBeirat, wo ich später im Jahr 2016 Mitglied werden sollte. Wir bereiteten uns darauf nicht nur mit unseren Sparringspartnern aus dem Deutschen Institut für Menschenrechte vor, sondern hatten auch etliche Telefonkonferenzen mit anderen Beteiligten an der Jugendkonsultation.

Aus dem JuniorBotschafter-Wettbewerb der UNICEF ergab sich dann in den folgenden Jahren noch viel mehr. Von 2016 bis 2018 war ich Mitglied des UNICEF-Junior-Beirats. 2016/17 habe ich eine Ausbildung zum UNICEF-JuniorTeamer mitgemacht und war danach Ansprechpartner für das Thema Kinderrechte in Kaiserslautern und Umgebung. In das Amt JuniorBeirat für UNICEF wurde ich auf dem Youth Festival im Juni 2016 gewählt. Das Festival fand in Nürnberg statt und war das erste seiner Art. »Den Herausforderungen der Zukunft können wir nur begegnen, wenn wir schon heute die Jugendlichen mit ihren Meinungen und Ideen zu Wort kommen lassen«, hatte der Geschäftsführer von UNICEF Deutschland, Christian Schneider, dazu gesagt. »Ihr Wille, sich für die Kinderrechte in Deutschland und weltweit einzusetzen, eröffnet neue Perspektiven und ist Ausgangspunkt für Veränderungen.« In Workshops und einer Aktion mit Straßenkünstlern haben wir genau das umgesetzt.

Die Aufgabe als JuniorBeirat bestand nicht nur darin, die JuniorTeamer aus dem Regionalkreis zu vertreten, sondern auch und vor allem in der beratenden Position, die wir gegenüber dem Deutschen Komitee für UNICEF hatten. Unser kritischer Blick und unser jugendpolitisches Know-how wurden dort wirklich geschätzt. So haben wir UNICEF zu verschiedenen Kampagnenideen und Jugendprojektideen beraten, die die Aufmerksamkeit für die UN-Kinderrechtskonvention stärken und ihr zu mehr Durchsetzung verhelfen sollen.

Gleichzeitig war der Beirat aber auch ein Ort für eigenes Wachstum und Lernen. Ich konnte hier gemeinsam mit anderen Jugendlichen sehr viel Verantwortung übernehmen.

Bei UNICEF konnten wir auf Augenhöhe mitarbeiten und hatten immer das Gefühl, ernst genommen zu werden. Das war für mich ein sehr wichtiger Punkt, denn ich will wirklich für etwas einstehen und gegen die allgegenwärtige Ungerechtigkeit auf der Welt arbeiten.

Im März 2017, kurz vor meinem Wechsel aufs UWC, war ich dann noch Teilnehmer der *International Model United Nations.* Ich liebe die Auseinandersetzung mit zum Teil schwierigen politischen Fragen. Hier ging es um die Frage, wann ein Land das Recht hat, das hohe und international gesicherte Rechtsgut der Souveränität eines anderen Staates zu missachten und zu intervenieren, auch mit militärischer Gewalt. Ein Beispiel war der Angriff der NATO auf die Bundesrepublik Jugoslawien im Juni 1999, die als Intervention zur Wahrung der Menschenrechte interpretiert wurde. Bis heute gilt diese militärische Intervention aber als völkerrechtswidriger Akt. Die Frage, wann eine solche Intervention erlaubt sei, wollte man einheitlich mit der »Schutzverantwortung« (Responsibility to Protect, R2P) beantworten bzw. einen geeigneteren Rahmen schaffen, die von der internationalen Gemeinschaft auch weitgehend getragen wird.

Mich hat die Auseinandersetzung mit diesem Problem sehr fasziniert. Das hat wohl auch dazu geführt, dass ich jetzt auf dem College in den USA einen Einführungskurs in Internationale Beziehungen belegt habe. Ich will diesen Bereich in meinem Studium der Politikwissenschaft unbedingt noch vertiefen.

Während dieses Projekts habe ich aber auch wieder viel über mich selbst gelernt. Ich habe erfahren, dass ich auch in sehr hitzigen Diskussionen einen kühlen Kopf bewahren kann. Die Macht des Wortes ist für mich das absolut wichtigste Mittel jeder Auseinandersetzung. Ich denke, dass ich in meiner Kindheit mehr als genug erlebt habe, welche schädlichen Folgen Aggression und impulsive emotionale Reaktionen haben können. So etwas nützt niemandem. In keiner Situation.

2019, kurz vor meinen Abschlussprüfungen, durfte ich noch an »Jugend und Parlament« teilnehmen und wurde Jugendparlamentarier. Diese Veranstaltung wird vom Deutschen Bundestag organisiert. Sie stellt (abgesehen von speziellen Staatsakten und der Bundesversammlung, bei der der Bundespräsident gewählt wird) die einzige Gelegenheit dar, bei der Personen, die nicht dem Bundestag, der Bundesregierung oder dem Bundesrat angehören, den Plenarsaal betreten und dort diskutieren dürfen. Allein das ist natürlich schon spannend.

Es handelt sich um ein Planspiel, bei dem ca. dreihundert Jugendliche und junge Erwachsene (das Teilnehmeralter ist siebzehn bis zwanzig) vier Tage lang in die Rolle von Abgeordneten schlüpfen. Sie werden nach dem Zufallsprinzip in drei Fraktionen eingeteilt und bekommen eine neue Identität. Die ist so festgelegt, dass dieser Jugend-Bundestag statistisch dem echten Bundestag entspricht, was zum Beispiel Alter, Bildungshintergrund und Herkunftsregion angeht. In den vier Tagen, die das Planspiel läuft, wird ein gesamtes Gesetzgebungsverfahren durchgespielt, und am Ende gibt es noch ein Feedbackgespräch mit sämtlichen Fraktionsvorsitzenden des echten Bundestages. Wir haben im Zuge dieser Aktion immerhin vier unterschiedliche Gesetzesentwürfe entwickelt und verabschiedet.

Man kann sich für dieses Programm nicht einfach so bewerben, sondern muss von einem realen Bundestagsabgeordneten nominiert werden. Drei Jahre lange hatte ich mich dafür interessiert und im dritten Jahr endlich die ersehnte Zusage erhalten. Vorher war ich nach den Spielregeln des Programms einfach noch zu jung gewesen. Ich bin sehr dankbar, dass mich unser Kaiserslauterer Abgeordneter Gustav Herzog für das Programm nominiert hat. Er hat mir dann während meines Praktikums im Sommer 2019, also nach meinem Schulabschluss, noch mehr Einblicke in die Welt der Bundespolitik gegeben.

Engagement ist in einer zunehmend ungerechteren, verständnisloseren, zeitärmeren und rationaleren Welt für mich persönlich umso wichtiger geworden. »Wenn Unrecht zu Recht wird, dann wird Widerstand zur Pflicht«, sagte einmal Bertolt Brecht. Und Tatsache ist, dass viel Unrecht geschieht und dass es viel zu oft allgemein hingenommen wird; häufig nur, weil die Menschen zu wenig darüber wissen.

Menschen, die sich, in welcher Form auch immer, gesellschaftlich engagieren, fordern sich und ihre Umwelt heraus, indem sie sich Problemen stellen, vor denen sich die meisten anderen wegducken. Dadurch werden sie zu Hoffnungsträgern, weil sie bereit sind, sich auch selbst infrage zu stellen: mit den Privilegien, die sie besitzen oder eben auch nicht besitzen, mit dem Status, den sie in der Gesellschaft haben, mit der Verantwortung, die sie auf sich nehmen.

Mich hat mein Engagement in meiner Entwicklung auf jeden Fall gestärkt. Ich finde nach wie vor, dass Leistung ohne Gegenleistung eine der schönsten Formen von gesellschaftlichem Beitrag ist. Die vielfältigen Vernetzungsmöglichkeiten sowie der breite Austausch sind gute Nebeneffekte.

Ich möchte denen eine Stimme geben, die sonst nicht gehört werden. Und genau das tue ich mit großer Leidenschaft, auch innerhalb meiner Partei, der SPD, indem ich Menschen dazu ermutige, aufeinander zuzugehen. Auch dieses Buch soll ein Beitrag dazu sein.

Was sich in Deutschland ändern muss

Von meinen ersten Erfahrungen mit der Bundespolitik ist es nun nur ein kleiner Schritt zu konkreten politischen Forderungen.

Ein paar grundsätzliche Worte dazu: Kinderarmut ist praktisch immer eine Folge von Erwerbsarmut der Eltern. Genau deshalb ist sie soziologisch auch als Erwerbsarmut einzustufen. Eigentlich ist das ganz einfach und logisch. Trotzdem wird Kinderarmut (nicht nur hierzulande) immer sehr abstrakt diskutiert. Kinderarmut ist aber kein bloßes »Phänomen«, das irgendwie über Menschen hereinbricht, sondern als Symptom einer verfehlten Gesellschaftspolitik zu verstehen, die schon seit jeher als Klientelpolitik betrieben wurde.

Klientelpolitik heißt ganz klassisch: Die Konservativen nehmen die Bedürfnisse und Ansprüche des bürgerlich-konservativen Lagers in der Gesellschaft in den Blick. Die Sozialdemokraten vertreten, eng angebunden an die Gewerkschaften, die Interessen der »Arbeiter«. Was leider immer auch heißt: Sie vertreten die Interessen derjenigen, die Arbeit haben. Arbeitslose fallen dabei leicht durchs Raster. Klientel der Grünen sind die augenscheinlich Gebildeten und Etablierten, Klientel der Liberalen sind die, die ein liberales bzw. neoliberales Verständnis haben. Und die AfD fängt all jene auf, die sonst nirgends angesprochen werden. Diejenigen, die sich als Opfer einer verfehlten, unsolidarischen Gesellschaftspolitik sehen – oder die genau diese Opferhaltung schamlos für ihre Zwecke ausnutzen.

Gesellschaftspolitik im Sinne einer Klientelpolitik war schon immer Kampfpolitik. Wenn sich in diesem Land wirklich und nachhaltig etwas an der Situation von armen Kindern verbessern soll, dann muss diese Kampfpolitik erst mal aufhören. Und von da aus können dann verschiedene Lösungsansätze entwickelt werden. Denn das Problem muss von allen Seiten angegangen werden. Ich zitiere noch einmal Jörg Dräger, Vorstand der Bertelsmann Stiftung, aus der Studie zur Kinderarmut von 2017: »Die zukünftige Familien- und Sozialpolitik muss die Vererbung von Armut durchbrechen. Kinder können sich nicht selbst aus der Armut befreien – sie haben deshalb ein Recht auf eine Existenzsicherung, die ihnen faire Chancen und ein gutes Aufwachsen ermöglicht.«

Bei politischen Lösungsversuchen müssen vielfältige Faktoren beachtet werden. Dazu gehören unter anderem die Beschäftigungssituation der Eltern, das Agieren der Jobcenter, die emotionale und psychische Situation des Kindes und zentral auch die der Eltern. Wir haben es hier mit einem gesamtgesellschaftlichen Problem zu tun, das nicht mit dem hektischen Drehen an einer einzigen Stellschraube zu beheben ist.

In der Studie der Bertelsmann Stiftung wurde entsprechend gefordert, neue sozial- und familienpolitische

Instrumente zu entwickeln, die Armut entgegenwirken und Kinder gezielt unterstützen:

1. mit einer systematischen Erfassung der Bedarfe und Interessen von Kindern
2. mit neuen finanziellen Leistungen für Kinder, die armen Kindern unbürokratisch helfen
3. mit guten, leicht erreichbaren Bildungs- und Freizeitangeboten sowie passgenauer Unterstützung für Kinder und Eltern

Gleichzeitig ist es schwierig, Musterlösungen zu finden, da wir es mit individuellen Menschen zu tun haben, deren Probleme auch individuell betrachtet werden müssen. Vor allem die persönlichen Umstände und die physische und emotionale Umgebung, in der sich jedes einzelne Kind befindet, müssen genau betrachtet werden. Schon von daher verbietet es sich, wenn Parteien versuchen, dieses sehr, sehr komplexe Problem mit einfachen, teils populistischen Antworten anzugehen.

Im Folgenden stelle ich eine Reihe von politischen und sozialen Ideen vor, die ich ganz persönlich für sinnvoll halte, um …

- Kinder bestmöglich zu versorgen,
- Kindern optimal aus Armutsbedingungen herauszuhelfen,
- Kinder in ihrer individuellen Entwicklung zu fördern und
- Potenziale bei Kindern zu erkennen.

Hier geht es nicht um Träumereien und Utopien. Ich bin kein Träumer. Es geht um ganz bodenständige, vernunftgesteuerte, ressourcenorientierte und nachhaltige Sozialpolitik. Das heutige System erfüllt diese Ansprüche in allen Punkten unzureichend oder überhaupt nicht. Es erkennt sie nicht einmal als Chance an.

Kinder sind Subjekte – Kinderrechte gehören endlich ins Grundgesetz

Unglaublich, aber wahr: Auch im 21. Jahrhundert werden Kinder und Jugendliche von unserem Staat nicht wirklich als Subjekte behandelt. Dadurch verlieren sie an Bedeutung, Wert und Würde. Einerseits wird ständig betont und nicht nur in Sonntagsreden darauf hingewiesen, dass jedes Kind und jede/r Jugendliche die Zukunft dieses Landes darstellt. Auf der anderen Seite räumt unser Staat jungen Menschen nicht den Raum ein, den sie verdienen und der ihnen zusteht. Nämlich den Raum, in dem ihre Meinung, Bedürfnisse und Grundrechte einen besonderen Status einnehmen.

Kindeswohl ist essenziell in einer Gesellschaft, die für sich in Anspruch nimmt, eine Fortschrittsgesellschaft zu sein. Doch unser Staat ist noch weit davon entfernt, Kinder und Jugendliche als Subjekte zu behandeln und ihnen die Teilhabe an Entscheidungsprozessen zuzusprechen, die sie betreffen. Das ist in meinen Augen kein Fortschritt, sondern ein Rückschritt.

In Artikel 6 des Grundgesetzes steht geschrieben: »Pflege und Erziehung der Kinder sind das natürliche

Recht der Eltern und die zuvörderst ihnen obliegende Pflicht. Über ihre Betätigung wacht die staatliche Gemeinschaft.« Dagegen ist nichts einzuwenden. Aber mit der Implementierung der Kinderrechte im Artikel 6 des Grundgesetzes würde der Staat verdeutlichen, dass die Erziehungspflicht der Eltern kein Freifahrtschein ist und dass das Wohl des Kindes oberste Priorität hat.

Kinder brauchen soziale Einbindung – Kindergärten, Schulen mit Ganztagsangebot etc. müssen stärker gefördert werden

Eine starke soziale Einbindung fördert Kinder aus schwierigen Verhältnissen und gibt ihnen mehr Chancen auf gesellschaftliche Teilhabe. Gemeinschaft ist wichtig für die Entwicklung aller Kinder, doch gerade Kinder aus armen Familien sind häufig sozial isoliert. Besuch von Spielkameraden zu Hause ist durch die beengten Wohnverhältnisse oft schwierig, und viele Eltern erlauben solche Besuche gar nicht, weil sie mit zusätzlichen Kindern in der Wohnung endgültig überfordert wären. Viele Kinder schämen sich auch, Freunde in ihr oftmals chaotisches Zuhause mitzunehmen und/oder mit ihren Eltern zu konfrontieren. Deshalb brauchen gerade Kinder aus solchen Familien gute Ganztagsangebote in Kindertagesstätten, Ganztagsschulen und Hortgruppen. Die Chance, soziale Durchmischung zu erleben, kann gar nicht hoch genug für die Entwicklung dieser Kinder eingeschätzt werden.

Ganztagsangebote könnten auch dazu führen, dass Kinder aus armen Familien ihre Potenziale entdecken und entwickeln. Dazu sind aber Angebote von Arbeitsgemeinschaften im sportlichen, kreativen und sozialen Bereich nötig. Eine Mittagsbetreuung, die sich auf Essen, Hausaufgabenhilfe und Spielen auf dem Schulhof beschränkt, reicht dafür nicht aus.

Daneben dient eine stärkere soziale Einbindung von Kindern aus Armutsfamilien auch ihrer Gesundheit. Kinder aus sozial schwachen Verhältnissen leiden wie bereits gezeigt häufiger unter Karies, sind stärker unfallgefährdet und häufiger übergewichtig. Hier können Kindergärten und Schulen mit Ganztagsangebot oder Tagesgruppen einen extrem wichtigen Ausgleich schaffen.

Kinder haben vielfältige Talente – wir brauchen einen Talentfonds für junge Menschen

Die Leistungsbereitschaft von jungen Menschen, die aus sozial schwachen Verhältnissen stammen, wird leider nicht in der gleichen Form belohnt wie die Leistungsbereitschaft junger Menschen aus privilegierten Verhältnissen. Der Unterschied lässt sich vermutlich nie ganz aufheben. Doch in dieser Ungleichheit schlummert eine große Gefahr, weil Kinder und Jugendliche zu Recht frustriert sind, wenn sie wiederholt erleben, dass sich Leistung eben *nicht* lohnt.

Doch wissenschaftliche Studien zeigen auch immer wieder, dass Frühförderung im besonders jungen Alter mehr als hilfreich ist, Menschen in ihrem Bestreben zu fördern und zu fordern. Ein Talentfonds für besonders Begabte wäre hier ein toller Anreiz. Lehrer*innen, Sozialarbeiter*innen und so weiter könnten über diesen Fonds jungen Menschen helfen, die Förderung nötig haben und ihre Talente sonst nicht entwickeln könnten. Außerdem müssten weitere Bildungs- und Vernetzungsangebote mit Universitäten geschaffen werden, die aus diesen Talenten eine wertvolle Ressource machen könnten. Unser Land kann vom »Rohstoff Wissen« gar nicht genug haben. Und für den Bereich der Kreativität auf künstlerischem, musikalischem und handwerklichem Gebiet gilt das ebenso.

Kinder brauchen Würde und Stolz auf das, was sie leisten: Die 75-Prozent-Regelung für Jugendliche in der Jugendhilfe muss abgeschafft werden

Noch immer werden Jugendliche, die in der Jugendhilfe leben und einer Berufsausbildung nachgehen bzw. minijobben, dazu verpflichtet, 75 Prozent ihres Einkommens an das Jugendamt abzugeben. Sie sollen damit, so heißt es, einen Beitrag zu ihrem Lebensunterhalt in der Jugendhilfe leisten, den ja ansonsten der Staat übernimmt.

Das halte ich für absolut verantwortungslos und in höchstem Maße ungerecht. Mit dieser skandalösen Regelung werden junge Menschen bestraft, die für die Tatsache, dass sie in der Jugendhilfe leben, absolut gar nichts können. Das ist nicht nur ungerecht, sondern zerstört die Leistungsbereitschaft dieser jungen Menschen und nimmt ihnen jeglichen Anreiz, selbst etwas zu leisten.

Man kann doch nicht allen Ernstes damit argumentieren, dass diese Jugendlichen für ihr Leben in der Jugendhilfe einen finanziellen Beitrag leisten sollen! Während ihre Freunde, die bei den Eltern leben, das Geld aus einem Ferienjob in aller Regel behalten dürfen! Mir ist durchaus bewusst, dass Jugendliche früherer Generationen ihren Lehrlingslohn zu Hause abgeben mussten und so zum Lebensunterhalt der Familie beitrugen. Aber ich kenne keinen Jugendlichen, der mit seinem mageren Lohn als Azubi heutzutage noch die Miete mit bezahlt.

Es ist für mich schlicht unverständlich, dass diese Regel noch immer existiert und dass sich an der Gesetzeslage in diesem Bereich – trotz aller Bestrebungen, die auch in diesem Jahr wieder angegangen wurden und trotz entsprechender Verwaltungsgerichtsurteile – nichts geändert hat. Das Problem mit der 75-Prozent-Regelung ist ein hässliches Beispiel für das Versagen unserer Sozialpolitik.

Kinder und ihre Familien brauchen Unterstützung – Sozialausgaben für Kommunen erhöhen

Jetzt kommen ziemlich viele Zahlen, und dieser Abschnitt hört sich erst mal sehr technokratisch an. Aber das Thema ist wichtig und darf nicht unter den Tisch fallen:

Die Ausgaben für Soziales in Deutschland sind zwischen 1996 und 2014 um etwa 65 Prozent gestiegen. Damit beläuft sich die Summe für Sozialausgaben auf rund

49 Milliarden Euro. Die sozialen Leistungen der Kommunen weichen aber stark voneinander ab, je nachdem, in welcher Gegend die jeweilige Gemeinde angesiedelt ist und wie sich die Sozialstruktur in dieser Kommune darstellt.

Die Last und die daraus folgenden Ausgaben, die eine Gemeinde zu tragen hat, werden in der kommunalen Finanzierung durch den Bund aber nicht berücksichtigt. Vielmehr weist die Finanzverfassung (also alle Regelungen, die das öffentliche Finanzwesen betreffen) einen Anteil für Sozialausgaben zu, der in Relation zur Wirtschaftskraft einer Kommune steht: Starke Kommunen bekommen mehr von diesem »Kuchen«. Dazu kommen die Einnahmen, die Kommunen selbst regulieren können, zum Beispiel die Gewerbesteuer und die Zweitwohnungssteuer. Beide fallen aber normalerweise gerade in strukturschwachen Kommunen eher gering aus. Damit stehen ausgerechnet diese strukturschwachen Kommunen vor einem doppelten Problem: Der Bedarf an Sozialleistungen ist in diesen Kommunen höher, *und* sie erhalten aufgrund ihrer niedrigen Wirtschaftskraft weniger Mittel dafür als bessergestellte Kommunen.

Sinnvolle und wichtige Sozialausgaben, die über die Grundsicherung und andere durch das Sozialgesetzbuch geregelte verpflichtende Leistungen hinausgehen, werden also gerade den Kommunen schwer bzw. unmöglich gemacht, die sie besonders nötig haben. Dazu gehören sinnvolle Jugendhilfeangebote, die präventiv den Symptomen von Kinderarmut entgegenwirken.

Wir stehen hier also vor einem grundsätzlichen Problem. Die gesetzlichen Bestimmungen zur Finanzierung von Kommunen und die grundsätzliche Strukturschwäche wirken zusammen und fördern Kinderarmut, statt sie zu beheben. Die mangelhafte Finanzierung der Kommunen hält das Problem am Leben.

Kinder brauchen Solidarität – wir müssen soziale Ungleichheit verringern und politisches Gleichgewicht schaffen

Deutschland erlebt heute ein Ausmaß an sozialer Spaltung, wie es zumindest seit dem Ende des Zweiten Weltkriegs noch nicht da gewesen ist. Dabei geht es nicht nur um die Vermögensverteilung – obwohl es zutrifft, dass die Zahl der Millionäre steigt und zugleich die Zahl derer, die sich aus einer Situation der Armut nicht mehr befreien können. Es besteht auch eine Ungleichbehandlung, was das Gewicht politischer Forderungen und ganz allgemein den politischen Einfluss angeht.

Das beginnt schon damit, dass politische Aktivität und Ausdrucksfähigkeit eher von den einkommensstarken Teilen der Gesellschaft ausgeht. Ihre politischen Forderungen spielen dadurch eine viel größere Rolle in den Debatten des Alltags. Die *FAZ* hat es einmal so formuliert: »Wann immer ein Politiker über Arme und Reiche spricht, so spricht er auch immer über Gebildete und Ungebildete.« Es herrscht also nicht nur reine politische Ungleichheit, sondern auch eine Ungleichheit in der politischen Wertung einer Position. Wer arm ist und wer eine geringere akademische Bildung hat, dessen Position ist letztlich – ganz platt gesagt – auch weniger wert. So entsteht zwangsläufig auch ein Ungleichgewicht des politischen Einflusses.

Wenn ich hier den Begriff »akademisch« benutze, meine ich nicht, dass Akademiker einen stärkeren politischen Einfluss haben. Das ist *auch* der Fall, aber die Sache ist komplizierter. Gleichzeitig hat es über Jahrzehnte eine sozialdemokratische und gewerkschaftliche Klientelpolitik gegeben, die den politischen Einfluss derjenigen stärkte, die als Lohn- oder Gehaltsempfänger vollzeitbeschäftigt waren (oder gewesen waren und nun Rente bekamen). Das betraf alle politischen Bereiche und wirkte weit in die Gesellschaftspolitik hinein. Diese Politik ging massiv auf Kosten von Frauen. Kein Wunder also, dass heute alleinerziehende Frauen und ihre Kinder am allermeisten von Armut bedroht und betroffen sind. An diesem Ungleichgewicht muss sich dringend etwas ändern. Hier sind alle Parteien und alle Gruppen der Zivilgesellschaft in der Pflicht.

Kinder und ihre Familien brauchen Förderung nach ihren individuellen Möglichkeiten – »fördern und fordern« war gestern

Kann ein Kind etwas dafür, wenn seine Eltern aufgrund psychischer Probleme Mühe haben, die angeordneten Termine beim Jobcenter wahrzunehmen? Nein, natürlich kann es nichts dafür. Trotzdem wird es dafür bestraft.

Im Jahr 2018 wurden in Deutschland etwa neunhunderttausend Hartz-IV-Empfänger wegen »Verstößen« mit einer Kürzung der Leistungen sanktioniert. In der Regel bestand der Verstoß darin, dass sie einen Termin »ohne wichtigen Grund« versäumt hatten. Im Schnitt wurde daraufhin die Leistung um ein Viertel gekürzt, Tausende bekamen wegen mehrfacher Sanktionen überhaupt kein Geld mehr.

Man mag über die Frage, ob Sanktionen nötig sind, streiten. Wichtige und seriöse Organisationen wie der Paritätische Wohlfahrtsverband jedenfalls lehnen sie ab. »Sanktionen sind keine pädagogischen Antworten, sondern lediglich Drangsalierung und häufig Ausdruck sozialer Ignoranz«, hat der Vorsitzende des Gesamtverbands, Ulrich Schneider, dazu gesagt.

Aber wenn man sich die Zahlen anschaut und überlegt, in wie vielen Hartz-IV-Haushalten Kinder leben, dann wird einem wirklich unwohl. Denn die Kürzungen betreffen ja regelmäßig auch die Leistungen, die die Eltern für ihre Kinder bekommen.

Ich jedenfalls empfinde Scham, Unbehagen und ein Stück weit Resignation angesichts eines Systems, das rein auf rationale Entscheidungen aufgebaut ist. Es ist nicht nur unfair – nein, diese Sanktionen, die unschuldige Kinder treffen, sind Ausdruck einer besonderen Form von Armut: der emotionalen Armut all jener, die aktiv an der Agenda 2010 und damit an der Sanktionsregelung mitgearbeitet haben. Ich habe es in der *Maischberger*-Talkrunde schon einmal gesagt, und ich wiederhole es hier: Hartz IV hat mit »fördern und fordern« nichts zu tun. Hartz IV fördert nur Übergewicht und soziale Isolation.

Hier wären dringend eine tief greifende politische Veränderung und vor allem eine Veränderung des politischen Denkens nötig. Doch davon ist leider überhaupt nichts zu sehen. Und auch das BGH-Urteil vom Oktober 2019 zu den Sanktionen gegen Hartz-IV-Empfänger greift viel zu kurz, zumal es die Situation nur für Personen über 25 Jahren entschärft. Aber was soll man schon von einem Programm erwarten, das den Namen von Peter Hartz trägt …

Kinder brauchen Hilfe in Krisensituationen: Die psychosoziale Unterstützung von Familien muss dringend ausgebaut werden

Wenn Eltern sich scheiden lassen, arbeitslos sind bzw. werden, wenn sie körperlich oder psychisch krank werden, ist das für die Kinder immer eine besondere Krisensituation, unabhängig vom Familieneinkommen. Doch in Familien mit einem Durchschnittseinkommen und einer guten sozialen Vernetzung lässt sich so eine Krise meist irgendwie abfedern. In armen Familien dagegen können sich solche Situationen zur Katastrophe auswachsen. Deshalb brauchen sie mehr und wesentlich massivere Unterstützung durch den Staat.

Dabei geht es vor allem darum, in den Familien Struktur zu erhalten bzw. wieder zu errichten. Denn solche Krisensituationen verschärfen den Mangel an stützender Struktur, unter dem arme Familien häufig ohnehin schon leiden. Wir brauchen also Hilfsangebote für

Familien, zum Beispiel Präventivmaßnahmen wie etwa den Einsatz von Familienbetreuern. Um so etwas leisten zu können, brauchen die komplett überlasteten Jugendämter aber dringend mehr Personal – sprich, sie brauchen mehr Geld, das den Kommunen aufgrund der Mängel in der Finanzierung aber fehlt ... Merken Sie was? Was wir da vor uns haben, ist ein Teufelskreis!

Kinder brauchen das Kindergeld

Ich frage noch mal ähnlich wie oben: Kann ein Kind etwas dafür, wenn seine Eltern suchtkrank sind? Und ich antworte wie oben: Nein, natürlich kann es nichts dafür. Trotzdem wird es dafür bestraft. Denn angesichts des zu niedrigen Hartz-IV-Regelsatzes, der bestimmte Ausgaben – beispielsweise für Zigaretten und/oder Alkohol – in unrealistischer Weise ausblendet, wird das Kindergeld nur allzu oft dazu genutzt, Löcher in der Familienkasse zu stopfen. So werden die Kinder im Innersten benachteiligt.

Viel sinnvoller wäre es, sämtliche Transferleistungen, die den Kindern zustehen, so zu bündeln, dass sie die Kinder auch tatsächlich erreichen. Außerdem wäre auch hier eine Investition von Geld in Bereiche – Tagesbetreuung, Ganztagsschulen –, die den Kindern wirklich nützen, viel besser als eine Erhöhung von Transferzahlungen nach dem Gießkannenprinzip.

Kinder brauchen Treffpunkte – Jugendtreffs sollten nicht nur von »sozial Schwachen« genutzt werden

Jugendtreffs sind leider, so meine Wahrnehmung, weniger Orte, an denen junge Menschen aus verschiedenen sozialen Hintergründen zusammenkommen, sondern sie verkommen häufig zu sozialen Ghettos für Jugendliche aus sozial schwachen Familien. Die Gründe dafür sind unterschiedlich, aber auf jeden Fall hat es damit zu tun, dass junge Menschen aus etablierten Verhältnissen nach der Schule meist einen gut gefüllten Tag haben. Hausaufgaben, Musikunterricht, Schwimmen ... und dann ist der Tag vorbei. Für Interaktion auf der Basis sozialer Vielfalt und Diversität bleibt da kaum Zeit – und so bleiben die einzelnen Gruppen für sich und verlassen kaum einmal ihre »Blase«.

Doch genau diese Interaktion und Durchmischung ist höchst notwendig. Es muss also zumindest dafür gesorgt werden, dass die wenigen Orte, wo sie stattfindet – beispielsweise staatliche Schulen, kirchliche Angebote wie der Erstkommunion- und Konfirmandenunterricht, Sportvereine –, nicht noch mehr ausgedünnt und nach sozialen Schichten aufgeteilt werden. Und es wäre dringend nötig, Jugendtreffs zu schaffen, in denen eine Kommunikation zwischen sozialen Gruppen weiterhin und vermehrt stattfinden kann.

Kinder brauchen Mentoren

Während meiner Zeit am UWC habe ich erlebt, welche ungeheure Bedeutung Mentoren haben können. Ein Mentorensystem, das auf Kontakt, Offenheit und Interesse basiert und in dem sich Mitglieder der etablierten Gesellschaft für Schwächere einsetzen, könnte eine große Hilfe sein. Eine individuelle Hilfe, aber auch eine Hilfe für wichtige Schritte auf dem Weg zu einer breiteren gesellschaftlichen Vernetzung.

Ich habe in den letzten Jahren immer wieder Förderung durch Mentoren erfahren, die in vollkommen anderen Zusammenhängen lebten als ich. Meine UWC-Mentorin, meine Betreuerin im SOS-Jugendhaus, mein Klassenlehrer an der Gesamtschule … sie alle lebten in etablierten, finanziell gut abgesicherten Verhältnissen und waren gebildete Menschen. Und noch etwas war ihnen gemeinsam: Obwohl ich so »anders« war als sie und alles, was sie aus ihrem eigenen Umfeld kannten, haben sie mein Potenzial gesehen. Sie haben sich nicht von irgendwelchen Vorurteilen über meinen familiären Hintergrund leiten lassen, sondern an mich geglaubt. Und durch diesen Glauben an mich haben sie mir die Kraft gegeben und mir Mut gemacht, auch selbst meine Potenziale zu erkennen und das Beste aus ihnen herauszuholen. Ein gutes Mentorensystem muss so aufgebaut sein, dass dieser Erfolg auch anderen Kindern und Jugendlichen möglich wird.

Das gilt übrigens auch für die noch viel zu wenig geförderten Talentscouts an Universitäten. Diese Spezialisten – in Nordrhein-Westfalen sind sie beim Wissenschaftsministerium angestellt – erkennen Potenziale, helfen Jugendlichen, das richtige Studienfach und die richtige Hochschule zu finden, und vor allem: Sie glauben an »ihre« Leute. Sie übernehmen auf institutioneller Ebene viel Verantwortung und nützen dem Einzelnen, den Universitäten und der ganzen Gesellschaft, indem sie für soziale Diversität sorgen und Menschen aus verschiedenen sozioökonomischen und soziokulturellen Hintergründen zusammenführen.

Kinder und Jugendliche aus armen Familien brauchen mehr solche Initiativen, um sich entfalten zu können. Denn nur auf diesem Weg werden sie in die Lage versetzt, sich aus einer Situation der Armut zu befreien.

Kinder brauchen mehr Austausch

Aktuell besteht die Gefahr, dass unsere Gesellschaft auseinandertreibt und sich als *Gesellschaft* – verstanden als *Gemeinschaft* – selbst abschafft. Wir leben in Zeiten, in denen der Ellbogen zum wichtigsten Körperteil geworden ist. Soziale Diversität wird nicht mehr als gelebtes Prinzip verstanden, sondern an allen Ecken und Enden wird versucht, in einer fragilen Blase den Wohlstand zu leben und krampfhaft zu erhalten, den man sich aufgebaut hat.

Angesichts von digitaler Reizüberflutung und bedrohlich empfundener Globalisierung versuchen wir, uns von allen Einflüssen abzuschirmen, die uns fremd sind und uns überfordern. Wir kapseln uns ab und rutschen in ein großes Desinteresse für das Leiden anderer ab – sei es in unserer unmittelbaren Umgebung oder irgendwo in der Welt. Selbst große Katastrophen wie Kriege oder die Folgen des Klimawandels rütteln die Menschen bestenfalls noch so weit auf, dass sie etwas Geld auf ein Spendenkonto überweisen.

Diese scheinbar unaufhaltsame Entwicklung ist gefährlich und birgt große Gefahren für unsere Gesellschaft. Mehr Miteinander, mehr Offenheit für das Unsichere, das uns Unbekannte tun da dringend Not.

Wir wissen zu wenig, wie Menschen leben, die ökonomisch anders gestellt sind als wir selbst. Die wenigsten Gebildeten haben regelmäßigen, echten Kontakt *auf Augenhöhe* zu Personen, die Goethes *Faust* nicht gelesen haben, aber trotzdem talentierte, in ihrem Bereich erfolgreiche und herzensgute Menschen sind. Und umgekehrt haben die wenigsten Ungebildeten oder gar »Bildungsfernen« eine Ahnung von den persönlichen Sorgen und Nöten derjenigen, denen es – vielleicht nur scheinbar – besser geht. Wir haben verlernt, aufeinander zuzugehen, und entziehen uns der Verantwortung für Menschen, die anders leben als wir und anders sind als das, was wir seit jeher gewohnt sind.

Diversität als Potenzial erkennen – das wäre ein schönes und sehr erstrebenswertes Ziel. Mentorensysteme, wie im vorigen Abschnitt beschrieben, wären ein guter erster Schritt dahin.

Kinder und Jugendliche sind Experten in eigener Sache – wir brauchen Jugendparlamente in jeder Stadt und jedem Landkreis

Kinder und Jugendliche sind Experten in eigener Sache. Sie wissen sehr genau und können mit etwas Unterstützung auch recht präzise formulieren, was sie brauchen. Sie sind in der Regel auch mit einem gesunden Sinn für Realismus ausgestattet und keine naiven Träumer. Deshalb müssen sie gehört werden, insbesondere zu lokalen Entscheidungen, die sie betreffen. Das ist nicht nur sinnvoll und moralisch richtig: Die Bundesregierung hat sich sogar dazu verpflichtet, hier Verbesserungen zu schaffen, indem sie 1992 die UN-Kinderrechtskonvention unterzeichnete und ratifizierte (übrigens erst drei lange Jahre nach der Verabschiedung dieser Konvention und unter einigen Vorbehalten, die erst 2010 aufgehoben wurden).

Initiativen von Kindern und Jugendlichen müssen übergreifend gefördert werden. Dazu können entsprechende Gremien wie Jugendparlamente oder Jugendräte sinnvoll und nützlich sein. Mit ihrer Hilfe können Angebote geschaffen werden, die eine soziale Durchmischung fördern und Ungleichheiten entgegentreten.

Kinder brauchen (Erfolgs-)Geschichten

Wir brauchen nicht nur erfahrene Soziolog*innen, die auf diesem Gebiet sehr belesen sind, sondern mehr Menschen, die ihre Geschichte miteinander teilen und rationalem (aber leider auch oft verkopftem) Wissen einen emotionalen Charakter geben. Die Welt ist voll von Geschichten, die erzählt werden müssen. Geschichten von schwierigen Startbedingungen und schönen Erfolgen. Von Neuanfängen in einem fremden Land und dem Ankommen in einer neuen Wirklichkeit. Von Katastrophen und Not und der Kraft, sie zu überwinden. Vom Ärmelaufkrempeln und von selbstloser Hilfe durch andere. Von mühsam erkämpften Chancen und harter Arbeit.

Ich garantiere Ihnen: Foren, die einen Austausch von solchen persönlichen Geschichten vorantreiben, tun Ihnen gut. Denn sie tun uns allen gut. Wir brauchen den Austausch innerhalb der Stadt, zwischen dem guten und dem vermeintlich schlechten Teil. Und wenn wir mehr voneinander wissen, indem wir unsere Geschichten erzählen und dabei zuhören, wenn andere es tun, werden wir feststellen, dass es weder gute noch schlechte Teile gibt. In unserem Land gibt es kein binäres System von Gut und Schlecht, Schwarz und Weiß. Aber es gibt soziale Wertung, die so tut, als gäbe es ein solches System. Ein schlimmer Irrtum. Und inzwischen gibt es Kräfte, die auf bösartige Weise versuchen, diesen schlimmen Irrtum für ihre Zwecke auszunutzen.

Wenn wir miteinander in Kontakt treten, kann es uns gelingen, diese Wertungen zu entkräften und letztlich zu überwinden.

Mein Buch ist ein Beitrag dazu, einen solchen Kontakt herzustellen. Denn meine Geschichte ist nur eine von vielen. Und meine Forderungen sollen allen nützen, denen sonst keiner zuhört.

Warum ich SPD-Mitglied bin

2015 bin ich in die SPD eingetreten, weil ich Politik aktiv mitgestalten wollte und weil ich mir einen größeren politischen Rahmen für meine Gedanken und Forderungen wünschte. Zu diesem Rahmen gehören im System der Bundesrepublik Deutschland nun mal die politischen Parteien und die parlamentarische Auseinandersetzung. Politik wird nicht an Stammtischen und in Talkshows gemacht. Und das soll bitte auch so bleiben.

Ich will mich politisch engagieren, und ich glaube fest daran, dass die Änderungen hin zu mehr sozialer Gerechtigkeit in der Politik stattfinden müssen, wenn sie nachhaltig etwas bewirken sollen. Die SPD als die traditionelle Arbeiterpartei, die sich die Gerechtigkeit auf ihre Fahnen geschrieben hat, schien mir die logische Wahl.

Ich habe in der SPD viel Zuspruch und immer offene Ohren für meine Anliegen gefunden. Dass sich nicht von heute auf morgen alles verändern wird, ist mir klar. So eine große Partei ist eher ein langsam drehender Öltanker als ein wendiges Segelboot. Dafür hat sie aber auch viel mehr Kraft.

Dass die SPD mit ihren derzeitigen Wahlergebnissen viel von dieser Kraft verloren hat und oft gar nicht in der Position ist, große Änderungen anzustoßen und durchzuführen, sehe ich auch. Ich glaube aber, dass diese Wahlergebnisse erst dann wieder positiver ausfallen können, wenn sich die SPD auf ihre alten Ziele besinnt und wieder viel entschiedener für Gerechtigkeit und eine wirksame Bekämpfung der Armut, speziell der Kinderarmut, eintritt.

Im November 2018 fand in Wittlich der Landesparteitag der SPD Rheinland-Pfalz statt, zu der ich gehöre. Und tatsächlich lud man mich ein, dort ein Grußwort zu sprechen. Ich war sehr nervös, fand aber, dass ich die Einladung annehmen musste, um meinem Anliegen Nachdruck zu verleihen. Wann hat man schließlich schon mal so eine Gelegenheit? Die kommt so schnell nicht wieder.

Nach einem Gruß an die Genossinnen und Genossen ließ ich erst mal fünf Sekunden Stille einkehren, bevor ich weitersprach. Das war nicht nur gut, um Aufmerksamkeit zu bekommen, ich wurde so auch selbst etwas ruhiger, und das konnte ich in diesem Augenblick gut gebrauchen.

Weil ich danach sehr viel Applaus und Zuspruch bekam, folgt hier die Rede, nur leicht bearbeitet, im vollem Wortlaut:

Stille. Stille ist so »eigen-sinnlich«, weil sie zum Nachdenken anregt. Stille ist so essenziell, weil sie zur Reflektion stimmt. Stille stimmt mich verbunden, weil ich sie dazu nutzen kann, meine Gedanken auszudrücken. Sie stimmt mich auch sehr dankbar, dass ich diese Rede zum ordentlichen Landesparteitag halten darf.

Stille aber stimmt mich auch leise und aufgewühlt. Sie gibt mir Zeit, über Bildung und den Anspruch guter Bildung nachzudenken, über das Handeln und die Pflicht zum Handeln jedes Individuums, aber auch über die Sorge und Fürsorge, die wir füreinander und miteinander im Großwerden und im Altwerden in unserer Gesellschaft tragen. Stille ist zugleich auch zum richtigen Zeitpunkt wichtig, weil sie notwendig ist, um gehört zu werden, weil sie Beachtung für jene schafft, die gehört werden möchten.

Ich möchte diesen Moment der Stille nutzen, um für jene Kinder, Jugendliche und Erwachsene die Stimme zu erheben, die ihre Stimme schlicht durch ihre Umstände nicht erheben können. Weil sie ihren Mut verloren haben oder die Gleichgültigkeit ein Ausdruck ihrer Situation ist, die sich auch und ganz besonders unter Armut ergibt. Noch immer leben rund 23 Prozent aller Kinder und Jugendlichen in meiner Heimatstadt Kaiserslautern unter armutsähnlichen Bedingungen. Diese Bedingungen entscheiden über ihr Leben, ihre Lebensführung und – noch immer – über Aufstieg und Abstieg und damit über ihren Lebensweg. In Rheinland-Pfalz leben etwa 50 Prozent aller als arm geltenden Kinder drei Jahre oder länger in ärmlichen Verhältnissen.

23 Prozent »Kinderarmut« in Kaiserslautern mögen eine abstrakte, relative Zahl sein, in Wahrheit aber sprechen wir von ca. 3230 absoluten Schicksalen, die früh Verantwortung für ihre Familie übernehmen und sich Sorgen machen. Über den ökonomischen Druck, der auf ihrer Familie lastet, aber auch über die Fürsorge in der Familie. Sie übernehmen viel zu früh die Verantwortung und Sorge für ein kleines bisschen Normalität im Familienleben.

Leider gilt immer noch, dass Armut insbesondere Kinder und Jugendliche am härtesten trifft. Diese Situation ist ein landes-

weites Problem, das man nur schwer politisch angehen kann, wenn es am Willen zum Verständnis mangelt. Vielleicht nicht nur am Willen zum Verständnis, sondern auch an der Bereitschaft, Menschen anderen Hintergrundes außerhalb der eigenen Komfortzone entgegenzutreten. Unabhängig davon, ob man arm oder reich ist, oder jung oder alt.

Die Bereitschaft zur Begegnung muss aber von innen kommen, wenn wir toleranter werden und klarer sehen wollen, wie unsere Gesellschaft ist und was unsere Gesellschaft in ihrer Kontroversität ausmacht.

All diese Worte spiegeln meine Erfahrung. Ich bin der Sohn einer Familie, die durch die Krankheiten meiner Eltern und ihren Status als »langzeitarbeitslos« gezeichnet ist. Und ich habe einen großen Teil meiner Kindheit im SOS-Kinderdorf Kaiserslautern gelebt. Nachdem ich mich lange damit auseinandergesetzt habe, weiß ich heute, dass meine Eltern für ihre eigene Situation genauso wenig können wie die übrigen Langzeitarbeitslosen in diesem Land … 820 000 Menschen. Das Problem liegt darin, dass wir die Probleme der anderen, ihre Schicksalsschläge und den Willen zum mitmenschlichen Verständnis wegrationalisieren. So werden wir nie verstehen. Wenn wir ein Problem verstehen wollen, dann müssen wir zuallererst den betroffenen Menschen verstehen und in den Vordergrund stellen.

Eines sollten wir dabei nie vergessen: die Arbeit, die jeder und jede Einzelne in unserer Gesellschaft leistet. Neben der Diskussion über einen höheren Mindestlohn oder generell eine gerechtere Bezahlung für das, was Menschen in unserer Gesellschaft leisten, fehlt es häufig an einem Mindestmaß an Respekt, an Dankbarkeit und Wertschätzung. Eine persönliche und nicht nur ökonomische Würdigung von Arbeit, die vermisse ich. Ich vermisse das einfache Dankeschön und eine Würdigung von

Arbeit. Nicht mit materiellen Gütern, sondern ganz einfach in Form von Respekt. Ich vermisse eine Würdigung für das, was Menschen auf den Straßen, in den Bürotürmen, an den Fließbändern, im Hörsaal, im Parlament und an tausend anderen Orten leisten.

Nun, bei diesen vielen Themen, die da so häufig in meinem Kopf herumschwirren, was ist denn da für mich sozialdemokratische Politik? Sozialdemokratische Politik machen heißt auch, eine kontroverse Debattenkultur zu pflegen, die sich diesen Themen widmet, die eine Gesellschaft bewegt und mitnimmt.

Das genau liebe ich an dieser SPD, in die ich mit vierzehn Jahren eingetreten bin. Die SPD hat mir gezeigt, dass es sich lohnt, für seine Werte und seine Geschichte, für Gerechtigkeit und für ein Mindestmaß an Respekt gegenüber jedem einzelnen Individuum einzutreten. Ganz besonders möchte ich mich an dieser Stelle bei Andreas Rahm und Gustav Herzog bedanken. Ihr habt mir gezeigt, dass Politik heißt, die Menschen zu verstehen, ihnen zuzuhören und sich selbst Fehler zuzugestehen. Politik machen heißt nicht, immer im Mittelpunkt zu stehen, wie dies bei Christian Lindner häufig der Fall ist.

Diese politische Grußrede ist nicht nur ein Gruß an den Landesparteitag. Mein Gruß geht an die Menschlichkeit, an unsere Vernunft und an das Geben und Vergeben. Werden wir laut und ergreifen die Partei jener, die ihre Partei nicht selbst ergreifen können. Dazu ruft uns die Stille auf.

Dieser Landesparteitag ist geprägt von Neuanfang und Aufbruch. Wir gehören zu einer Vereinigung von Sozialdemokratinnen und Sozialdemokraten, die schon seit 155 Jahren sozial, inklusiv, sorgebewusst und reflektiert handelt.

Nun aber wünsche ich euch allen einen erfolgreichen Landesparteitag! Glück auf!

Auf dem UWC in Freiburg

Bei meinen Medienauftritten wurde immer mein »internationales Abitur« betont. Es handelt sich um das *International Baccalaureate* (IB), das paradoxerweise in Deutschland nur bedingt anerkannt wird, obwohl es ein sehr, sehr anspruchsvoller Schulabschluss ist. Tatsächlich habe ich mich nach der Gesamtschule in Kaiserslautern über das Deutsche UWC-Nationalkomitee auf eines der United World Colleges beworben. Mein Wunsch war es, auf dem Robert Bosch College zu landen, einer Schule, die zu den United World Colleges gehört. UWC gibt es in achtzehn Ländern. Die Schulen haben das Ziel, Jugendliche auf der ganzen Welt miteinander in Kontakt zu bringen, um sie zu befähigen, gemeinsam Schritte in eine friedliche Zukunft zu gehen. Und das Allerbeste daran: Diese Schulen wählen unter einer großen Zahl von Bewerber*innen ausschließlich nach Eignung und Begabung aus. Ob die Familie das Schulgeld bezahlen kann, spielt keine Rolle. Die soziale Herkunft soll niemanden davon abhalten, diese Schulen zu besuchen, das ist ihr Prinzip. Wer das Schulgeld absolut nicht aufbringen kann, bekommt ein Vollstipendium. Mehr als 65 Prozent der Schüler*innen werden finanziell unterstützt. Und diese Stipendien werden durch großzügige Spenden ermöglicht, nicht zuletzt von Alumni und Alumnae, also »Ehemaligen«, die selbst einmal diese Schulen besucht haben und heute beruflich erfolgreich und finanziell gut gestellt sind.

Ohne diese Stipendienregelung hätte ich eine solche Schule nie besuchen können. Denn natürlich fehlte meinen Eltern das Geld, das nötig gewesen wäre, um mich auf eine teure Privatschule zu schicken. Es fehlt ihnen aber auch das Verständnis dafür. Meine Mutter verstand überhaupt nicht, was ich auf einer solchen Schule wollte, hielt die ganze Idee für unsinnig und den Gedanken, nach der Gesamtschule noch weiter die Schule zu besuchen, um das Abitur zu machen, für vollkommen absurd. Mein Vater betrachtet meinen Weg eher mit den sehnsüchtigen Augen eines Menschen, der eine solche Chance nie bekommen hat. Wie auch immer: Ich habe meinen Eltern im Vorfeld nichts von meiner Bewerbung erzählt. Die Auseinandersetzung darüber wäre sinnlos gewesen.

Warum gerade UWC? Weil ich gelesen hatte, was diese Colleges über sich und ihre Schüler*innen schreiben:

UWC ist etwas für dich, wenn …

- du aufgeschlossen bist, verschiedene Kulturen kennenzulernen, und Begeisterung für neue Erfahrungen mitbringst,
- du bereit bist, dich ganz in die Aktivitäten und das soziale Leben der UWC-Gemeinschaft einzubringen,
- du die Fähigkeit und Motivation mitbringst, das anspruchsvolle schulische Programm erfolgreich zu meistern,

- du zwar gut sein willst, aber nicht zur Perfektion neigst,
- du Resilienz und Anpassungsfähigkeit mitbringst und dich immer wieder auf sich verändernde Situationen einstellen kannst,
- dir Engagement für die Verständigung zwischen Menschen unterschiedlicher Herkunft wichtig ist,
- du bereit bist, die eigenen Interessen auch mal zurückzustellen,
- du die Zeit im Internat nicht als Möglichkeit siehst, vor Problemen wegzulaufen.

In diesem Profil habe ich mich hundertprozentig wiedererkannt. Da wollte ich hin!

Auch im SOS-Kinderdorf wusste zunächst niemand von meinen Plänen. Meine Betreuerin dort hat mich durchaus unterstützt, aber selbst sie hatte manchmal Angst, dass ich zu sehr nach den Sternen greife, zu hoch hinauswill und irgendwann bitter enttäuscht werde, wenn ich mit der harten Realität konfrontiert werde. Deshalb hat sie mich auch immer ein bisschen gebremst. Weil ich das wusste und weil ich aus gutem Grund empfindlich auf das Gefühl reagierte, dass man nicht an mich glaubt, habe ich die Bewerbung ganz allein durchgezogen. Alles allein machen, alles allein stemmen, alles allein entscheiden – darin bin ich ja geübt.

Also habe ich mich hingesetzt und online das Bewerbungsformular ausgefüllt. Die ersten Schritte sind nicht besonders schwierig, man muss seine persönlichen Daten angeben, Auskunft über die Englischkenntnisse geben und so weiter. Danach wird es dann etwas komplizierter, weil man Zeugniskopien hinschicken muss und am besten mehrere Empfehlungsschreiben braucht. Mein erstes kam von meinem Klassenlehrer Marko an der Gesamtschule in Kaiserslautern.

Erst als ich alle meine Unterlagen zusammengetragen und meine Bewerbung ans UWC komplett weggeschickt hatte, habe ich meiner Betreuerin im Jugendhaus davon erzählt. Sie war ziemlich sauer und meinte, ich hätte kein Vertrauen zu ihr. Das stimmt nicht, natürlich habe ich Vertrauen. Das SOS-Jugendhaus ist ganz klar mein Zuhause. Aber ich hatte auch Sorge, dass sie versuchen würde, mich von der Bewerbung abzubringen. Später hat sie mal in einem Interview gesagt, sie habe sich gedacht: Lass ihn machen, das wird sowieso nichts. Ich nehme ihr das nicht übel. Schließlich standen meine Chancen ja wirklich nicht so wahnsinnig gut, es gibt viel mehr Bewerber*innen als Plätze.

Als es dann doch was wurde, als die Nachricht mit der Zusage vom Robert Bosch College in meinem E-Mail-Eingang lag, habe ich die Mail mit zittrigen Fingern aufgemacht, ganz allein in meinem Zimmer. Und dann habe ich geheult vor lauter Freude und Erleichterung. Endlich. In diesem Moment fiel mir eine Tonnenlast von der Seele, und die Freude war überwältigend. Umso mehr, als sich alle im Jugendhaus mit mir freuten, dass es geklappt hatte.

Ende August 2017 ging es dann los auf dem UWC in Freiburg, dem Robert Bosch College. Raus aus einer Einrichtung der Jugendhilfe, rein in ein Internat. Der Kulturschock war auf eine Art kleiner, als man vielleicht vermuten könnte. Denn das Leben auf dem Robert Bosch College ist viel weniger luxuriös, als man es sich bei einer Privatschule vorstellt. Dort leben zweihundert Jugendliche aus dreiundneunzig Ländern, der Unterricht findet in englischer Sprache statt – und man bekommt nichts geschenkt. Viererzimmer, klare Regeln, spartanische Einrichtung – hier kommt es aufs Lernenwollen und auf die Lust an Bildung und Leistung an, nicht auf irgendwelche Statussymbole.

Gegründet wurden die United World Colleges Anfang der Sechzigerjahre von dem Reformpädagogen Kurt Hahn, der in Deutschland vielleicht am ehesten als Gründer der Internate Salem und Louisenlund bekannt ist. Die Idee dazu kam ihm schon 1956, als er zu einem Vortrag vor dem *NATO Defense College* eingeladen war. Dort erlebte er die Zusammenarbeit und Freundschaft von Menschen aus Ländern, die im Zweiten Weltkrieg noch zutiefst verfeindet gewesen waren. Sein Ziel war es, junge Menschen zusammenzubringen, um globale Vorurteile und Feindseligkeiten zu überwinden. Und so entstanden die United World Colleges. Die erste Schule wurde 1962 in Wales eröffnet. Die Londoner *Times* bezeichnete sie damals als das »aufregendste Experiment auf dem Gebiet der Bildung seit dem Zweiten Weltkrieg«.

Die Grundprinzipien seines ganzheitlichen Bildungskonzepts hat Kurt Hahn in seinen *Sieben Salemer Gesetzen* formuliert:

1. Gebt den Kindern Gelegenheit, sich selbst zu entdecken.
2. Lasst die Kinder Triumph und Niederlage erleben.
3. Gebt den Kindern Gelegenheit zur Selbsthingabe an die gemeinsame Sache.
4. Sorgt für Zeiten der Stille.
5. Übt die Phantasie.
6. Lasst Wettkämpfe eine wichtige, aber keine vorherrschende Rolle spielen.
7. Erlöst die Söhne und Töchter reicher und mächtiger Eltern von dem »entnervenden« Gefühl der Privilegiertheit.

Damit ist auch ein Großteil der Regeln umrissen, die das Leben auf einem United World College bestimmen.

Die Schüler*innen auf dem UWC, die ja zum Teil von weither kommen, werden von Gastfamilien bzw. Mentoren unterstützt. Diese Familien nehmen die Jugendlichen zeitweise bei sich auf und unterstützen sie auch materiell. Dazu später mehr.

Das Robert Bosch College liegt am Rand von Freiburg auf dem Gelände eines ehemaligen Klosters. Es gibt das Schulhaus, Verwaltungsgebäude, eine Mensa, eine Fahrradwerkstatt, einen Schulgarten (den ehemaligen Klostergarten) und die 2014 neu erbauten zwölf würfelförmigen Wohnhäuser.

In vier Häusern leben die Lehrer*innenfamilien. Die restlichen acht Häuser teilen sich je vierundzwanzig Schüler*innen. In jedem dieser Häuser gibt es sechs Schlafzimmer, einen Gemeinschaftsraum, eine Küche, einen Balkon und zwei Bäder. Für jedes Haus gibt es einen Haustutor oder eine Haustutorin, außerdem betreuen die Lehrer*innenfamilien die Jugendlichen, und es gibt, wie in jedem Internat, eine sehr gute medizinische und psychosoziale Betreuung.

Für die Ordnung im Haus sind die Bewohner*innen selbst zuständig. Jeden Sonntagabend gibt es ein House Meeting, bei dem Regeln besprochen und Streitfälle geklärt werden. An diesen Abenden wird ab und an auch gemeinsam gekocht und im Haus gegessen. Auf diese Weise haben die Mitarbeiter*innen der Mensa am Sonntagabend auch mal frei.

Die Zimmerbelegung wird zu Beginn jedes Schuljahres ausgelost, getrennt nach Mädchen und Jungen. In jedem Viererzimmer sind zwei aus dem ersten und zwei aus dem zweiten Jahr untergebracht, außerdem soll in jedem Zimmer eine Person aus Deutschland leben.

Um in die Stadt zu kommen, gibt es die öffentlichen Verkehrsmittel, aber auch die schuleigenen Fahrräder. Für die Wartung und Reparatur der Räder steht eine Do-it-yourself-Werkstatt zur Verfügung. Unter der Woche muss man um 22:45 Uhr wieder auf dem Gelände sein, am Wochenende eine Stunde später.

Mein Tagesablauf sah dort nicht so viel anders aus als früher im Jugendhaus: Frühstück gab es in der Mensa ab sieben Uhr, um acht begann der Unterricht, der sich, von einer Mittagspause unterbrochen, bis in den frühen Nachmittag zog. Danach wurden verschiedene Freizeitaktivitäten angeboten. Abendessen gab es von sechs bis sieben Uhr. Danach war Freizeit oder langes Büffeln in der Bibliothek angesagt. Ich hatte hier mehr Freiheiten als im Jugendhaus und lief an einer wesentlich längeren »Leine«, aber im Grunde war das alles für mich nicht so ungewohnt.

Neu für mich und alle frischgebackenen UWCler waren aber die Art des Unterrichts, die Fächerauswahl und das ganze pädagogische Konzept. Man sieht es ja schon an den *Sieben Salemer Gesetzen*, die ich oben zitiert habe: Der Gründungsgedanke dieser Schulen geht von einer ganzheitlichen Bildung aus.

Man muss sich diese Vielfalt vorstellen: Zweihundert Schüler*innen, sechzig Sprachen, sehr unterschiedliche Bildungsniveaus, Lernstile und kulturelle Hintergründe. Und genau diese Vielfalt wird vom UWC nicht eingeebnet, sondern gefördert und als große Chance verstanden. Ganzheitliche Bildung heißt hier: autonomes Lernen und individuelle Fächerauswahl für jeden Einzelnen; Voneinanderlernen und Fragen werden gefördert. Was das anging, war das UWC ein wahres Schlaraffenland für einen neugierigen Fragensteller wie mich! Interkultureller Austausch und die Entwicklung von Verständnis und Empathie sind Teil des Programms. Wer eigene und fremde Annahmen bewusst wahrnimmt und reflektiert, verändert seine eigene Einstellung und sein Handeln. Und so entstehen gemeinsame Werte und letztlich auch ein Gemeinschaftsgefühl. Das zeigt sich auch darin, dass viele Ehemalige der Schule durch das Alumni-Programm lebenslang verbunden bleiben.

Das Konzept zieht sehr engagierte Lehrkräfte und sonstige Mitarbeitende an. Leidenschaft ist Trumpf, bei allen, die hier leben, lernen und arbeiten! Der Umgang miteinander ist sehr offen, es gibt ein 360-Grad-Feedbacksystem. Für je zehn Schüler*innen steht eine Lehrkraft zur Verfügung, außerdem sind alle Jugendlichen Teil einer sechs- bis zwölfköpfigen Tutorengruppe, die von einem persönlichen Tutor oder einer Tutorin betreut wird.

Dazu kommt die große Freiheit, die der Abschluss des *International Baccalaureate* bietet. Aus dem Fächerkanon wählt man sechs Fächer, drei als vertiefte Leistungskurse, drei als Grundkurse. In allen Fächern wird man intensiv schriftlich *und* mündlich geprüft, was ein großer Unterschied zum Abitur ist. Auch ist die Lernintensität um einiges höher. Im IB-Economics-Leistungskurs habe ich zum Beispiel schon Credits erhalten, die an Universitäten anerkannt werden.

Ein Jahr lang wird zusätzlich das Fach Theory of Knowledge unterrichtet, in dem man sich intensiv mit der Frage auseinandersetzt, wie eigentlich Wissen entsteht. Meine Abschlussarbeit in diesem Fach habe ich über das Thema »Unvoreingenommenheit ist essenziell in der Wissenserlangung« geschrieben, und in meinem ersten UWC-Jahr habe ich eine Präsentation gehalten zur Frage, ob Geschichte denn tatsächlich von Gewinnern geschrieben wird. (Die Präsentation ging etwas in die Hose, die Abschlussarbeit war aber wirklich spitze ...)

Neben den in jeder gymnasialen Oberstufe in Deutschland üblichen Fächern gibt es die Möglichkeit, sich beispielsweise mit arabischer oder spanischer Literatur (oder Weltliteratur) zu beschäftigen. Es gibt Fächer wie Umweltwissenschaften und Gesellschaft, Asiatische

Geschichte, Sozial- und Kulturanthropologie, Theater und Bildende Kunst ... Die Auswahl ist wirklich beeindruckend. Allerdings sind deutsche IB-Schüler*innen sehr eingeschränkt, weil die Kultusministerkonferenz das IB nur sehr bedingt anerkennt. Und das, obwohl das IB der mit Abstand schwierigste Hochschulzugangsabschluss ist, den man in Deutschland erreichen kann – das sagen nicht nur die Absolventen. Aber der hohe Anspruch bei diesem Abschluss hat natürlich auch Vorteile, denn die Chancen, auf einer richtig guten Universität einen Platz zu bekommen und sein Studium mithilfe eines Stipendiums finanzieren zu können, sind gut. Und bereits während der Zeit am UWC gibt es eine ausgezeichnete Universitäts- und Karriereberatung, sodass niemand mit der Frage alleingelassen wird, wie es denn nach dem Abschluss weitergehen soll.

Zu den Prüfungen gehört auch eine Facharbeit zu einem selbst gewählten Thema. Ich habe in diesem Zusammenhang den Nachfrageüberschuss (»Fachkräftemangel«) im deutschen Pflegesektor und seine Ursachen untersucht.

Um das IB zu bekommen, muss man außerdem hundertfünfzig Stunden CAS (Creativity, Activity & Service) nachweisen. Das sind Aktivitäten in zum Teil selbst organisierten Arbeitsgemeinschaften, die ein erfahrungsbasiertes Lernen möglich machen. Dazu gehören das Schulorchester, Sport-AGs, Yoga, Chor, aber auch soziale Aktivitäten wie beispielsweise gemeinsame Veranstaltungen mit behinderten Menschen oder die Mitarbeit bei der Freiburger Tafel (von meinen Erfahrungen dort habe ich schon berichtet).

Vom Kulturministerium werden für Schüler*innen mit deutscher Staatsangehörigkeit die Fächer Deutsch als Muttersprache, eine durchgängig belegte Fremdsprache, Gemeinschaftskunde, Europäische Geschichte und zwei Naturwissenschaften verlangt. So ist das IB auch mit dem deutschen Abitur kompatibel und wird von allen deutschen Universitäten anerkannt.

Dass all das Jugendlichen aus allen Schichten zur Verfügung steht, unabhängig vom Einkommen der Eltern, ist einfach fantastisch. Um das Gefühl von Unterschieden zwischen den Jugendlichen möglichst gering zu halten, wird darauf geachtet, dass sich alle in ihrem persönlichen Konsum beschränken, auch im Sinne von Ressourcenschonung und Nachhaltigkeit. Im *Student's Handbook,* das wir bekamen, nachdem klar war, dass wir aufgenommen wurden, wird das ganz deutlich gesagt: Wir haben an unserer Schule etwa ein Viertel Schüler*innen, die überhaupt kein eigenes Geld besitzen. Sie bekommen aus dem Budget der Stiftung ein Taschengeld von 50 Euro im Monat. Alle anderen werden ausdrücklich aufgefordert, nicht mehr als diesen Betrag mitzubringen. Und die Packliste, die ebenfalls in dem *Handbook* abgedruckt ist, schließt Angeberei mit Markenkleidung von vornherein aus.

Da heißt es zum Beispiel: »Pack deinen Koffer und nimm dann die Hälfte wieder raus. Du wirst überrascht sein, mit wie wenig Sachen du ein angenehmes Leben führen kannst. Wenn du dein Gepäck nicht selbst eine Treppe hinauftragen kannst, dann ist es zu schwer.« Oder: »Denk dran: Dunkle Sachen werden nicht so schnell schmutzig wie helle.«

Auch so kann man soziale Durchmischung möglich machen. Für mich waren die zwei Jahre am UWC eine großartige Zeit des Lernens und des gemeinsamen Lebens, die mein Leben ganz stark verändert und sehr zu meiner persönlichen Entwicklung beigetragen hat.

Blicke in eine andere Welt

In einigen Interviews, vor allem nach meinem Auftritt bei *Maischberger*, ist mein erster Kontakt mit meiner Mentorenfamilie ziemlich flach dargestellt worden. So als hätte es mich irritiert, ja sogar geschockt, in welchem Wohlstand sie leben. Da war dann von teurem Rotwein die Rede, von den edlen Schuhen, die ich geschenkt bekommen habe, von all der materiellen Sorglosigkeit, mit der ich kaum umgehen konnte.

Deshalb möchte ich das hier ein wenig geraderücken, denn natürlich war ich nicht der naive »Wilde« aus dem Unterschicht-Dschungel, als ich zum ersten Mal in diese Familie kam. Ich war sechzehn Jahre alt, hatte schon ziemlich viel erlebt, hatte mich im Rahmen der SOS-Kinderdörfer und auch darüber hinaus politisch engagiert. Mir war also der Kontakt mit Menschen unterschiedlichster Herkunft durchaus vertraut, und mir war auch sehr bewusst, dass Menschen in Deutschland in unterschiedlichen Bezügen leben.

Trotzdem war dieser enge Kontakt anders. Ich habe ja zumindest zeitweise mit in der Mentorenfamilie gelebt, und ja, dieses Leben war mir ein Stück weit fremd.

Zunächst muss ich genauer erklären, wie es überhaupt zu dieser Beziehung zwischen mir und der Mentorenfamilie kam. Jede Schülerin und jeder Schüler am UWC bekommt eine Gastfamilie. Das sind aber in der Regel Familien aus dem näheren Umkreis von Freiburg, mit denen man sich ab und zu trifft, vor allem, damit die Schüler*innen, die nicht in Deutschland aufgewachsen sind, etwas vom Leben in Deutschland erfahren und nicht nur in ihrer Internats-Blase durch die zwei Jahre schweben. Es gibt Gastfamilien-Wochenenden, da unternimmt man etwas zusammen, macht vielleicht mal einen Ausflug. Die Gastfamilien kommen auch auf den UWC-Campus zu Besuch, zum Beispiel beim Tag der offenen Tür. Bei einigen werden daraus sehr enge und freundschaftliche Beziehungen, bei anderen sind die Schüler*innen während der gesamten Zeit eher Gäste, und der Kontakt bleibt oberflächlich. Das hängt auch sehr von den einzelnen Persönlichkeiten und individuellen Gegebenheiten ab.

Darüber hinaus gibt es dann aber Schüler*innen, bei denen die Schule von vornherein annimmt, dass sie eine stärkere Betreuung und Förderung brauchen, weil ihre Herkunftsfamilie beides nicht leisten kann. Aus welchen Gründen auch immer – das kann an der großen räumlichen Entfernung zur Familie liegen oder auch, wie in meinem Fall, daran, dass der betreffende Schüler oder die Schülerin aus ihrer Familie herausgewachsen ist. Diese Aufgabe der Betreuung und Förderung übernehmen dann die Mentoren. Die Menschen – Einzelpersonen oder Familien –, die bereit sind, sich in diesem Zusammenhang stärker zu engagieren, bekommen die Profile der Schüler*innen, die dafür infrage kommen, und entscheiden selbst, zu wem sie Kontakt aufnehmen wollen.

So bekam ich also eines Tages eine E-Mail von meiner zukünftigen Mentorenfamilie, in der sich diese vorstellte. Das war, noch bevor ich in Freiburg einzog. Ich wusste also bereits in der Schlussphase meiner Zeit im Jugendhaus: Da wird sich jemand um mich kümmern. Und das war für mich ein sehr gutes Gefühl.

Ich bin dann auf Einladung der Familie nach Frankfurt gefahren, damit wir uns persönlich kennenlernen konnten. Der Empfang war sehr, sehr herzlich, offen und freundlich. Ich habe nie auch nur einen Hauch von Voreingenommenheit empfunden, weder gegenüber meiner Herkunft noch gegenüber meinen Erfahrungen, die dieser Familie zum Teil ja doch sehr fremd waren. Diese Unvoreingenommenheit zeichnet sie sehr aus, und ich muss ehrlich zugeben, dass ich das so nicht erwartet hatte.

Ich war also sehr erleichtert und froh, so offen aufgenommen zu werden. Erst später hat mir meine Mentorin erzählt, dass ihre eigene Herkunftsfamilie als Spätaussiedler es in Deutschland auch nicht immer leicht gehabt hatte, vor allem in der Anfangsphase. Bei ihr gab es also ganz klar die Motivation, etwas von dem weiterzugeben, was sie selbst an Förderung und Hilfe bekommen hatte.

Das wusste ich bei unserem ersten Kontakt natürlich noch nicht. Und so war mein erster Besuch in Frankfurt insgesamt eine echte Überforderung. Frankfurt ist eine Stadt, in der das Geld eine große Rolle spielt. Sehr viel Geld. Schon wenn man sich der Stadt nähert, sieht man die riesigen Bankenhochhäuser, die den Rest der Stadt überragen. Und der erste Eindruck, wenn man durch die Stadt geht, ist, dass sie von Menschen einer höheren Einkommensgruppe sehr stark dominiert wird. Alles andere rückt dagegen total in den Hintergrund, und die großen sozialen Brüche werden erst auf den zweiten Blick sichtbar. Dann allerdings sind sie wirklich krass. Wer abends in der Nähe des Frankfurter Hauptbahnhofs durch die Straßen geht, bekommt Armut in schockierenden Formen zu sehen. Da hausen ganze Familien unter Baugerüsten, und in den Nebenstraßen knirscht es im Dunkeln unter den Schuhsohlen, weil so viele Junkies dort ihre benutzten Spritzen liegen lassen. Wenn man genauer hinschaut, ist Frankfurt ein ziemlich raues Pflaster.

Aber damals, bei meinem ersten Besuch, war ich noch lange nicht für so einen genauen Blick bereit. Und natürlich zeigte mir meine Mentorenfamilie auch nicht gleich die hässlichen Seiten ihrer Stadt, das kann man ja gut verstehen. Was ich erlebte, waren wohlhabendes Bürgertum, schöne Wohnviertel, dicke Autos: eine aufgeräumte, saubere, ein Stück weit »satte« Stadt. Da ich selbst eher Minimalist bin und mit sehr wenigen materiellen Gütern zurechtkomme, fand ich das tatsächlich irritierend und herausfordernd. Platter Materialismus und Konsum waren, sind und bleiben mir sehr fremd.

Wenn es also einen »Kulturschock« gab, dann wurde der durch die Stadt Frankfurt ausgelöst, durch die Oberfläche und Oberflächlichkeit, die sie mir präsentierte. Nicht durch meine Mentorenfamilie. Die Familie selbst ist durchaus wohlhabend, aber das hat mich gar nicht so sehr beeindruckt, wie es gelegentlich dargestellt worden ist. Weder im positiven noch im negativen Sinne. Einen viel stärkeren Eindruck hat auf mich die Art ihrer Lebensführung gemacht, die sehr viel mit ihrem Unternehmergeist zu tun hat. Letztlich war nicht die materielle Fülle der große Unterschied zu meiner Herkunftsfamilie, sondern das Maß an Verantwortung, das diese Menschen für sich selbst und alle, die von ihnen abhängig sind, übernehmen. So etwas hatte ich in meiner Herkunftsfamilie und meinem gesamten Kindheitsumfeld nicht erlebt. Und mehr noch: So etwas hatte ich mir meine ganze Kindheit lang gewünscht. Mir war irgendwie immer klar gewesen, dass es so etwas doch geben muss.

In dieser Hinsicht waren und sind meine Mentoren für mich große Vorbilder. Sie hätten ebenso gut sagen können: »Wir fördern das UWC mit einer jährlichen Spende, und damit hat es sich.« Aber nein, sie haben sich bereit erklärt, Verantwortung für einen einzelnen jungen Menschen zu übernehmen, den sie nicht kannten. Sie haben diesen jungen Menschen – also mich! – in ihr Haus eingeladen, haben ein Stück von ihrem Leben mit ihm geteilt, haben ihn materiell und emotional beschenkt, ihm etwas von der Welt gezeigt, Verantwortung für ihn übernommen. Ihnen verdanke ich ungeheuer viel, nicht nur ein Paar schicke Schuhe und die Vermittlung einer coolen Praktikumsstelle auf der Messe in Frankfurt, wo ich während der Sommerferien 2018 mitarbeiten und jede Menge berufliche Erfahrungen sammeln durfte.

Was meine Mentoren für mich getan haben, ist etwas vollkommen anderes als bloßes finanzielles Sponsorentum. Um so zu handeln, braucht man ein hohes Maß an Verantwortungsbewusstsein und sehr viel Courage. Und das finde ich wirklich bewundernswert.

Mit diesen Gedanken im Kopf habe ich auch schon meinen ersten Besuch in Frankfurt erlebt. Aber natürlich stellte ich während meines Aufenthalts in der Familie Vergleiche an. Wenn wir zum Abendessen eine gute Flasche Wein genossen, fragte ich mich, wie viel die wohl gekostet haben mochte. Und ich überlegte mir, was dieser Betrag im Verhältnis bedeutet. Nicht so sehr im Verhältnis zu meiner eigenen finanziellen Situation, sondern im Verhältnis zum Einkommen vieler Menschen, die materiell und sozial weniger gut gestellt sind. Auch im Verhältnis zu dem Geld, das meinen Eltern zur Verfügung steht. Diese Gedanken wollte ich auch nicht verdrängen. Ich wollte mich nicht einfach so daran gewöhnen, guten Wein zu trinken, teure Schuhe zu tragen oder ganz allgemein materielle Sorglosigkeit zu erleben. Und vor allem wollte ich niemals anfangen, das alles für selbstverständlich zu halten.

Sollte ich irgendwann in ein paar Jahren in die Lage kommen, selbst in einigermaßen gesicherten materiellen Verhältnissen zu leben, dann werde ich mit Sicherheit etwas Ähnliches tun wie meine Mentoren. Ich bin ihnen nicht nur zutiefst dankbar, ich möchte das, was ich von ihnen bekommen habe, auch unbedingt weitergeben. Und ich hoffe, dass ich mit meiner Geschichte andere anrege, etwas Ähnliches zu tun. Sie werden gebraucht!

Fremd in der eigenen Familie

Wie ich schon erzählt habe, versuchten meine Eltern, mich zurückzuholen, als ich ein Jahr im Jugendhaus war. Das hatte verschiedene Gründe, auch rein finanzielle. Zum einen fehlte ihnen tatsächlich auf einmal ein Teil des Familieneinkommens, als die finanzielle Unterstützung für mich wegfiel. Zum anderen – und an so was denkt niemand, der keine Erfahrung mit dem Leben unter den Bedingungen von Hartz IV hat – waren sie mit nur noch einem Kind viel schlechter gestellt, was die Wohnung anging. Inzwischen hatten sich meine Eltern wieder zusammengetan, und sie wären gern umgezogen, aber dazu brauchten sie die Zusage vom Jobcenter, dass die Kosten übernommen werden würden. Und das Jobcenter übernimmt die Kosten nur in einem ganz bestimmten Rahmen: Bei drei Personen darf die Wohnung maximal 80 Quadratmeter groß sein, und die Höchstmiete, die das Amt übernimmt, ist je nach Stadt ebenfalls gedeckelt, sodass man kaum eine große Wohnung findet, deren Miete noch im Rahmen ist. In Kaiserslautern liegt sie bei etwas über vier Euro pro Quadratmeter. Das gilt natürlich vor allem für die großen Städte und die boomenden Ballungsgebiete – in München oder Stuttgart beispielsweise ist die Situation echt dramatisch. So lange ich mit erstem Wohnsitz bei meinen Eltern gemeldet war, hatten sie Anspruch auf eine Wohnung von bis zu 105 Quadratmetern, die dann natürlich auch mehr hätte kosten dürfen.

Ich war zu diesem Zeitpunkt noch mit erstem Wohnsitz bei ihnen gemeldet, plante aber ursprünglich, mich mit dem Erstwohnsitz im Jugendhaus anzumelden. Und das bereitete ihnen einige Schwierigkeiten. Entsprechend sauer waren sie auf mich. Schlussendlich aber war der Kompromiss mit dem Amt, dass für »Wochenendbesuche« ein Raum für Kinder existieren musste, weshalb ich mit dem Erstwohnsitz bei meinen Eltern gemeldet blieb.

Es ging aber nicht nur um materielle Dinge, sondern auch um ihren Alltag. Schließlich hatte ich bis zu meinem Auszug einen großen Teil des Familienmanagements übernommen. Davon habe ich ja schon erzählt. Diese Unterstützung fiel jetzt weg. Meine Eltern, die schon immer mit ihrem Alltag überfordert gewesen waren, standen dem täglichen Chaos jetzt noch hilfloser gegenüber.

Und irgendwie waren sie der Ansicht, ich hätte die Pflicht, ihnen zu helfen, und würde mich jetzt vor dieser Pflicht drücken. Vor allem meine Mutter drängte sehr darauf, dass ich nach Hause zurückkommen sollte. Schließlich seien sie meine Familie, und da müsste ich doch Rücksicht nehmen. Dass ich es nicht tat, hat sie tief verletzt. Danach sagte sie, ich sei nicht mehr richtig ihr

Sohn. Was wiederum mich sehr verletzt hat, auch wenn ich mir inzwischen in dieser Hinsicht eine sehr dicke Haut zugelegt habe.

Kurz bevor ich dann auch Kaiserslautern verließ, um in Freiburg das Robert Bosch College zu besuchen, war ich bei meinen Eltern und meinem Zwillingsbruder zu Besuch. Das war ein sehr seltsames, schwieriges Erlebnis.

Als ich den kleinen Hügel hinaufkam und nach rechts abbog, um zu dem Haus zu gehen, fiel mein Blick zuallererst auf einen großen Haufen gelber Säcke. Daneben lag ein Berg von Sperrmüll. Wie lange die Möbel wohl überlebt haben, fragte ich mich und blieb unwillkürlich einen Moment stehen. Welche Erinnerungen und Gegenstände wohl im Holz des Schranks gespeichert waren, der dort notdürftig zerlegt abgeladen worden war? Kurz musste ich an den großen schwarzen Schrank denken, der unser Kinderzimmer dominiert hatte, als wir noch klein gewesen waren.

Dann gab ich mir einen Ruck und schaute zum Haus. Eins von mehreren hohen Häusern, alle grau und trostlos, wie es typisch ist für diese Siedlung. Durch eine Lücke konnte ich den Bolzplatz sehen, auf dem ich mit den Nachbarskindern so viele Stunden verbracht hatte. Ansonsten herrschte hier die alte bedrückende Monotonie. Alle Häuser sehen gleich aus, obwohl in ihnen doch die Geschichten so vieler verschiedener Menschen gespeichert sind – auch meine Geschichte. Ich klingelte, betrat langsam das Haus. In dem schmalen Aufzug mit den abgegriffenen Knöpfen war gerade mal Platz für drei Personen. Ein fettes Graffiti zierte die Wand. Na gut, dachte ich, ein bisschen Kunst im Haus kann vielleicht nicht schaden.

Im vierten Stock stieg ich aus und ging zur Wohnungstür. Mein Vater nahm mich mit einer liebevollen, herzlichen Umarmung in Empfang. Ich erwiderte sie ebenso liebevoll, konnte mir aber den Gedanken nicht verkneifen, warum er es nicht schaffte, sich wenigstens ein T-Shirt anzuziehen, wenn schon Besuch kam …

Meine Mutter stand mit der immer gleichen trotzigen, unsicheren Pose im Wohnbereich, die Arme fest vor der Brust verschränkt, und starrte mich fast schon wütend an. Ein herzliches Willkommen sieht anders aus. Mein Bruder kam aus einem der hinteren Zimmer getrabt, wo er wie fast immer vor einem Computerspiel gesessen hatte, und begrüßte mich kurz.

Dann saßen wir einfach nur da. Komisch fühlte sich das an, ich sah meine Eltern während der sechs Jahre nach meinem Auszug ja nicht wirklich häufig. Die ganze Situation wirkte furchtbar künstlich, die Atmosphäre war denkbar angespannt. Meine Mutter schaltete den Fernseher an, mein Vater und mein Bruder griffen nach der Zigarettenschachtel und unterhielten sich über irgendetwas, wovon ich nichts verstand. Mich sprachen sie dabei kaum an. So saß ich da, fühlte mich ausgeschlossen und fast unsichtbar, beobachtete die Szene, hörte ihnen zu. Ihre Gesprächsthemen waren unendlich weit von meiner Lebenswirklichkeit entfernt. Wie verhält man sich in einer solchen Situation, wenn man das Gefühl hat, nicht mehr dazuzugehören? Wie kriegt man es hin, dabei nicht entweder in Tränen auszubrechen oder furchtbar arrogant zu wirken?

Ich glaube ehrlich gesagt nicht, dass ich es besonders gut hingekriegt habe. Und da ich – natürlich – nicht in Tränen ausbrach, wirkte ich vermutlich wie ein arroganter Besucher von einem anderen Stern. Meine Mutter lässt mich das deutlich spüren, sie sagt ganz klar, ich sei nicht mehr ihr »alter« Sohn. Für sie bin ich ein Verräter, ich habe die Familie übel im Stich gelassen. Mein Vater geht anders damit um. Ihm ist sonnenklar, dass unsere Welten weit voneinander entfernt sind, und er fühlt sich auch persönlich angegriffen, weil ich ganz anders rede als er, mich anders anziehe, anders esse und so weiter. Dass ich mich seit einiger Zeit vegan ernähre, wird er wohl nie nachvollziehen können. Aber – und da reagiert er eben total anders als meine Mutter – er hat nie aufgehört, mein Papa zu sein. Und er hat nie aufgehört, mich auf seine Art zu lieben. Darüber bin ich sehr froh. Es würde mir sehr, sehr wehtun, ihn auch noch zu verlieren.

In dem Artikel, der in der *ZEIT* über mich erschien, wurde die Frage gestellt, ob ich irgendwann meine Familie würde verleugnen müssen. Tatsächlich habe ich mich gefragt, wie es sein wird, wenn ich wirklich irgendwann Teil der etablierten Gesellschaft sein werde. Wenn ich »es geschafft« habe. Ich hoffe, dass ich auch dann noch den Mut habe, zu meiner Herkunft zu stehen. Und ich hoffe, dass ich nie vergesse, woher ich komme. Ich respektiere meine Familie zutiefst, auch wenn ich nie wieder zu ihr zurückwill. Und ich weiß, dass mein besonderer Blick auf die Wirklichkeit des Lebens in Deutschland – von beiden Seiten der Armutsgrenze her – eine große Stärke und Verpflichtung ist.

Ohne Hilfe wäre es nicht gegangen

In Interviews und auch in der *Maischberger*-Talkshow hieß es gelegentlich, ich hätte »es geschafft«. Oder man fragt mich, wie das möglich sei, dass ich »es geschafft« hätte. Mir ist das eigentlich unangenehm, denn ich weiß sehr genau, dass ich ohne die Hilfe vieler Menschen absolut keine Chance gehabt hätte. Das ist ja gerade das Problem, unter dem so viele Kinder leiden, die in Armut aufwachsen: dass es zu wenige Hilfen gibt und dass die Chancen auf ein gutes Leben, eine gute Zukunft so furchtbar schlecht stehen.

Ich will auch auf keinen Fall den Eindruck vermitteln, dass es jeder schaffen kann, wenn ich es geschafft habe. So nach dem Motto: »Man muss sich nur zusammenreißen, sich einen Ruck geben, sich anstrengen, dann geht es schon. Wenn man wirklich will, dann schafft man es auch.« Nein! So einfach ist das nicht. Ich will anderen Kindern und Jugendlichen durchaus Mut machen, einen ähnlichen Weg zu gehen, wie ich ihn eingeschlagen habe. Aber ich würde niemals behaupten, dass es ein leichter Weg ist.

Ich habe Hilfe nicht nur angenommen, sondern aktiv

eingefordert, das ist vielleicht der große Unterschied. Abgesehen davon, dass es nicht nötig sein sollte, ist es eben auch nicht normal, dass ein Elfjähriger auf dem Jugendamt auftaucht und sagt: »Tut endlich was! Helft mir!« Im Gegenteil: Die meisten Kinder und Jugendlichen aus armen Familien halten sich eher von Ämtern und Behörden, von Beratungsstellen und Hilfsangeboten fern. Selbst in der Schule bleiben sie auf Distanz zu Fördermöglichkeiten. Sie bekommen von klein auf von ihren Eltern und ihrem gesamten Umfeld ein großes Misstrauen gegenüber Institutionen eingeimpft. Und so kommt es, dass sie dieses Misstrauen nie wirklich hinterfragen und für »normal« halten.

Ich habe Hilfe eingefordert, und ich habe sie von vielen Menschen auch bekommen. Diesen Menschen bin ich von Herzen dankbar. Aber ich weiß auch: Wenn sehr viele Kinder und Jugendliche in der gleichen Weise Hilfe einfordern würden, wäre das gesamte System unserer Jugendhilfe vom Kollaps bedroht. Dafür sind wir nämlich viel zu viele.

Die erste richtig große Unterstützung bekam ich von meiner Klassenlehrerin in der Grundschule, die nicht nur merkte, dass ich zusätzliche Förderung und Unterstützung brauchte, sondern die auch etwas unternahm, um diese Förderung in Gang zu bringen. Weiter ging es mit den Leuten vom Jugendamt, die mir daraufhin den Platz in der Tagesgruppe organisierten. Dann waren es die wunderbaren Betreuer in der Tagesgruppe, von denen ich schon erzählt habe und mit denen ich bis heute in engem, freundschaftlichem Kontakt stehe.

Ein ganz besonderer Mensch in meinem Leben war Marko, mein Klassenlehrer in der neunten und zehnten Klasse. Er unterrichtete bei uns Englisch und Geschichte und hat meinen Hunger nach Bildung sehr schnell erkannt. Ihm war klar, dass die Gesamtschule diesen Hunger nicht stillen konnte – meine Interessen gingen weit über das übliche Angebot im Unterricht hinaus. Marko war auch der Erste, der mir eine Empfehlung für meine Bewerbung am UWC schrieb. Und er hielt dicht, als ich ihn bat, noch niemandem davon zu erzählen, weil ich mir doch so große Sorgen machte, dass es nicht klappen würde und dass dann jemand sagen würde: »Siehst du, ich habe es dir doch gleich gesagt, dass du keine Chance hast.« *Siehst du* kann ich echt nicht leiden. Es klingt für mich nach vorgefertigten Etiketten, nach Schubladen, in die man Menschen steckt.

Marko war ein besonderer Lehrer. Er war kein bloßer Vermittler seiner Fächer Englisch und Geschichte, sondern vor allem ein Lebensmentor. *Mein* Lebensmentor. Marko ist nicht nur wahnsinnig belesen, sondern verfügt über eine riesige emotionale Intelligenz. Er ist ein sehr vielschichtiger Mensch, dessen Interessen sich in vielem kaum von meinen unterscheiden. Für mich war Marko ein extrem wichtiger Wertevermittler, der es sehr gut verstand, Menschen zu inspirieren. Ob es bei mir tatsächlich Inspiration war – keine Ahnung. Jedenfalls habe ich ihn zutiefst bewundert. Neben vielen anderen großartigen Eigenschaften schätze ich an ihm seine klare Aufrichtigkeit. Er war und ist ein großes Vorbild für mich.

Deshalb war auch nach dem Ende meiner Zeit auf der Gesamtschule klar, dass ich mit ihm in Kontakt bleiben will. Heute sind Marko und seine Frau Teil meiner Familie. Ich habe schon bei ihnen übernachtet, wir haben manche Nacht durchphilosophiert. Und wir kochen gern miteinander. Und zwar vegan, denn auch hier haben wir einen gemeinsamen Nenner. Dass ich mich seit gut einem Jahr so ernähre, geht auf Markos Anstoß zurück. Vielleicht habe ich mich auch deshalb für diese Ernährungsform entschieden, weil ich glaube, dass das Recht auf Leben niemandem vorenthalten sein sollte, schon gar nicht den Tieren, die als reines Konsumprodukt verkauft werden, anstatt als emotionale und geistige Lebewesen wahrgenommen zu werden wie wir Menschen auch. Kurz gesagt: Ich will einfach nicht, dass andere Lebewesen meinetwegen leiden, wenn ich das vermeiden kann. Mit Marko rede ich viel über Themen rund um Ethik und Moral und warum manches Leben mehr und anderes Leben weniger wert ist. Auch darüber, welche seltsam verzerrten Vorstellungen von Moral wir gelegentlich haben. Und wenn mich mal wieder der Weltschmerz trifft und ich vor der Welt resigniere, finde ich bei ihm immer ein offenes Ohr und Herz.

Während meiner Zeit auf dem UWC hat sich meine Mentorenfamilie aus Frankfurt um mich gekümmert. Sie ist unheimlich wichtig für mich geworden. Die Familie unterstützt mich finanziell und hilft immer aus, wenn ich etwas brauche, was sonst nicht möglich wäre. Aber das spielt bei Weitem nicht die größte Rolle.

Viel wichtiger war und ist es für mich, dass da jemand ist, zu dem ich gehöre. Denn zu meiner ursprünglichen Familie gehöre ich ja nicht mehr so richtig. Die Mentorenfamilie ist wie ein Netz, das mich auffängt. Hier finde ich Gesprächspartner*innen in allen Situationen, hier kann ich andocken, zum Beispiel während der Ferien. Hier finde ich wirklich ein Zuhause, in dem ich mich verstanden und angenommen fühle.

Das System der Jugendhilfe in Deutschland verläuft in sehr konventionellen Bahnen. Es gibt finanzielle Unterstützung, es gibt Beratungsangebote, aber ein emotionales Umfeld wird dort nicht geschaffen, und es gibt auch kaum Angebote, die auf meinen doch recht unkonventionellen Weg zugeschnitten sind. Wo Kinder und Jugendliche in diesem System emotionale Unterstützung und ein Zuhause-Gefühl finden, liegt das am persönlichen Engagement der Betreuer*innen. Wenn sie sich für ein Kind reinhängen – und das tun sie wirklich nach Kräften –, dann ist das toll, aber es ist nicht unbedingt Teil des Systems. Das kann vielleicht auch gar nicht anders sein. Auch hier gilt das Gesetz der Wirtschaftlichkeit. Je früher die Jugendhilfe es schafft, Kinder und Jugendliche »reif fürs wahre Leben zu machen«, desto wirtschaftlicher läuft die Betreuung.

Bei meinen Mentoren ist das anders. Sie sind immer ansprechbar, sie sind auf eine Weise für mich da, die ich sonst nirgendwo gefunden habe. Und vor allem: Sie haben immer an mich geglaubt und tun das heute noch. Ich bin ihnen unheimlich dankbar, dass ihre Unterstützung auch mit dem Abschluss auf dem UWC nicht endete. Wer hätte mir denn sonst am Flughafen nachgewinkt, als ich in die USA abreiste, um meine College-Zeit zu beginnen?

Jede Menge Resilienz

Ich bin gelegentlich gefragt worden, woher ich angesichts der wirklich schwierigen Startbedingungen in meinem Leben die Kraft genommen habe, immer irgendwie weiterzumachen. Woher die Kraft kam, eines Tages zu sagen: »Jetzt halte ich es nicht mehr aus«, und zum Jugendamt zu gehen, aller Angst zum Trotz.

Ehrlich gesagt, an manchen Tagen frage ich mich das selbst auch. Mein Leben ist ja immer noch von Unsicherheit geprägt und manchmal ganz schön herausfordernd. Ich habe keine Ahnung, wie es weitergehen wird mit meinem Tanz auf dem Hochseil. Und das Netz, das mich auffangen würde, sollte ich runterfallen, hat durchaus seine Lücken.

Man kann sich ja auch fragen: Warum hatte ich die Kraft dazu, während sie so vielen anderen fehlt, die dann irgendwann in all der Überforderung untergehen?

Auch diese zweite Frage treibt mich durchaus um. Sie stellt sich jedes Mal, wenn ich an meine Eltern denke, an meinen Zwillingsbruder, an meinen Halbbruder … Was ist das für eine Kraft, die ich offensichtlich habe und die ihnen fehlt?

Ich halte das für eine ganz wichtige Frage. Und sie führt uns zu einem spannenden Thema, das eine Weile überall intensiv diskutiert wurde, um das es aber in letzter Zeit ziemlich still geworden ist: Resilienz.

Was ist Resilienz?

Wikipedia definiert Resilienz als psychische Widerstandsfähigkeit, als »die Fähigkeit, Krisen zu bewältigen und sie durch Rückgriff auf persönliche und sozial vermittelte Ressourcen als Anlass für Entwicklungen zu nutzen«. Verwandte Begriffe sind Bewältigungsstrategie (Coping) und Selbsterhaltung. »Das Gegenteil von Resilienz«, so Wikipedia weiter, »ist Verwundbarkeit (Vulnerabilität).«

Entstanden ist die Idee von Resilienz durch die Arbeiten u. a. der US-amerikanischen Psychologin Emmy Werner. Sie hat in den Siebzigerjahren die Ergebnisse einer Langzeitstudie veröffentlicht, an der fast siebenhundert Kinder auf Hawaii teilnahmen. Bei dieser Studie stellte sie fest, dass Kinder, die biologisch-medizinischen oder sozialen Risikofaktoren ausgesetzt waren, sich im Durchschnitt negativer entwickelten als Kinder, die ohne solche Risikofaktoren aufgewachsen waren. Sie waren später weniger erfolgreich im Beruf, litten häufiger an psychischen oder physischen Krankheiten und wurden sogar häufiger straffällig.

Besonders spannend an dieser Studie war aber ein »Nebenergebnis«, das dann auch viel mehr beachtet wurde: Etwa ein Drittel der Risikokinder entwickelte sich mindestens ebenso gut wie die Nichtrisikokinder. Sie waren genauso erfolgreich in Schule und Beruf und auch genauso gesund. Diese Kinder bezeichnete Emmy Werner als »resilient«.

In der heutigen Persönlichkeitspsychologie bezeichnet man Menschen als resilient, die eine geringe emotionale Labilität aufweisen und in den vier anderen wichtigen Bereichen (Aufgeschlossenheit, Gewissenhaftigkeit, Geselligkeit, Verträglichkeit) leicht erhöhte Werte zeigen. In einer Längsschnittstudie an Vorschulkindern wurden resiliente Kinder als anpassungsfähig, belastbar, aufmerksam, tüchtig, gescheit, neugierig und voller Selbstvertrauen beschrieben.

Wie entsteht Resilienz?

Resilienz entsteht entweder durch besondere Förderung, also durch gute Umweltbedingungen. Oder sie entsteht durch eine Art seelischer »Abhärtung«, die aber dann eben nur bei einem Teil der betroffenen Kinder zu positiven Ergebnissen führt. Darüber ist sich die Forschung alles andere als einig. Und ich bin mir aufgrund meiner eigenen Erfahrungen auch nicht sicher: Haben mich meine frühen Erfahrungen »abgehärtet«, haben mich meine späteren Erfahrungen geschützt – oder hatte ich einfach Glück?

Man weiß ja sehr wohl, dass es mehrere Faktoren gibt, die Resilienz fördern können. Es gibt Umwelteinflüsse, personale Faktoren und Prozessfaktoren. Zu den Umwelteinflüssen gehören die Unterstützung in der Familie, Kultur und Gemeinschaft, das soziale Umfeld und die Schule. Zu den personalen Faktoren gehören kognitive und emotionale Fähigkeiten, also zum Beispiel Intelligenz, Sinngebung, Selbstkontrolle, Beziehungsfähigkeit, Lösungsorientierung, Toleranz für Ungewissheit. Und zu den Prozessfaktoren gehört unter anderem die Fähigkeit, Dinge anzunehmen, die man nicht verändern kann – sodass man sich mit ganzer Kraft auf das konzentrieren kann, was man verändern und bewältigen kann.

Interessant ist, dass Mängel in einem Bereich von Faktoren durch Stärkung der anderen Faktoren ausgeglichen werden können. So hat man zum Beispiel immer wieder festgestellt, dass resiliente Kinder, die in ihrer Familie keine ausreichende Unterstützung bekommen, sich häufig Menschen außerhalb der Familie suchen, die sie unterstützen.

Merkmale resilienter Kinder

Ich will Sie nicht mit allzu viel Theorie langweilen, aber es ist schon interessant zu sehen, welche Merkmale resilienten Kindern zugeschrieben werden. Denn diese Merkmale habe ich selbst immer wieder an anderen Kindern und Jugendlichen beobachtet, die es »irgendwie« geschafft haben, trotz schwieriger Bedingungen zurechtzukommen und sich gut zu entwickeln. Auch unter meinen Mitbewohner*innen im Jugendhaus gab es einige, auf die diese Beschreibung gut zutrifft.

Resiliente Kinder sind …

- ... eher Mädchen als Jungen. Resiliente Jungen sind »untypisch«; sie sind weniger aggressiv und empathischer als der Durchschnitt.
- ... häufig überdurchschnittlich intelligent.
- ... zeigen bessere Schulleistungen, als man es aufgrund der Rahmenbedingungen erwartet.
- ... haben eine gute Impulskontrolle und können auf eine Belohnung warten.
- ... wenden sich leicht anderen Menschen zu und reagieren positiv auf Aufmerksamkeit.
- ... sind emotional und empathisch.
- ... können anderen Menschen vertrauen.
- ... können Hilfe annehmen und Schwächen zugeben.
- ... schätzen sich selbst und ihre Zukunftsvorstellungen realistisch ein.
- ... verhalten sich sozial angepasst und reagieren positiv auf Lob und Anerkennung durch Erwachsene.
- ... sind interessiert an ihrer Umwelt und besitzen einen großen Wissens- und Bildungshunger.
- ... sind davon überzeugt, dass sie selbst etwas bewirken können.

Und was hat das alles mit mir zu tun?

Damit schließt sich der Kreis zu meiner eigenen Geschichte. Denn genau das habe ich getan. Ich habe mir Menschen gesucht, die mich unterstützten: im Jugendamt, in der Jugendhilfe, in der Schule, in der Tagesgruppe und so weiter. Wie gut, dass es diese Menschen gab, auf die ich zurückgreifen konnte und die mich aufgefangen haben.

Für die meisten Kinder – auch die resilienten –, die unter schwierigen Bedingungen groß werden, heißt es nämlich durchhalten bis zum Ende der Schulzeit. Erst dann bekommen sie womöglich die Gelegenheit, sich ein besseres Umfeld zu suchen. Und das kann, wie ich selbst erlebt habe, eine sehr lange Zeit sein. Für manche Kinder und Jugendliche ist es dann zu spät, ihnen geht die Kraft aus. Und Kraft braucht man, wenn man sich ein besseres Umfeld suchen will. Es ist ja kein Spaß, alles hinter sich zu lassen, was man kennt, und den Schritt ins Ungewisse zu wagen. Ich weiß aus eigenem Erleben sehr genau, wie viel Angst man überwinden muss, wenn man einen solchen Schritt macht.

Wenn ich mir die Liste der Eigenschaften resilienter Kinder anschaue, muss ich zugeben, dass eine ganze Reihe von ihnen auch auf mich zutreffen. Allerdings war ich an dem Punkt, als ich Hilfe gesucht hatte, so weit, dass auch mir die Kraft ausging. Als ich ins Jugendhaus kam, hatte ich große Schwierigkeiten, Gefühle zuzulassen oder gar darüber zu sprechen. Wer Schwäche zeigt, provoziert eine aggressive Reaktion, das hatte ich in meinem bisherigen Umfeld immer wieder erfahren. Trotzdem: Ich glaube, dass ich jede Menge Resilienz besitze und dass sie mir geholfen hat, meinen Weg bis heute zu gehen. Das ist die gute Nachricht.

Die weniger gute zeigt sich beim zweiten Blick auf die Liste der Eigenschaften. Denn wenn ich meinen Bruder oder meine Eltern damit vergleiche, dann sehe ich deutlich, dass ihre Resilienz viel weniger ausgeprägt ist als meine. Kein Wunder also, dass sie mit einem Gefühl der permanenten Überforderung auf alles reagieren, was in ihrem Leben passiert. Kein Wunder auch, dass sie in einer extrem herausfordernden sozialen und materiellen Situation und in einem Alltag ohne Struktur psychische Störungen entwickelt haben.

Das heißt aber nicht, dass man das alles einfach so hinnehmen muss nach dem Motto: »Der eine hat's, der andere nicht.« Resilienz kann man fördern und trainieren. Und Menschen, die über weniger Resilienz verfügen, muss man erst recht fördern und auch beschützen. Spitze Ellbogen helfen niemandem weiter. Dazu komme ich später in diesem Kapitel noch einmal.

Resilienz und Bildung

In der Liste der Eigenschaften resilienter Kinder taucht ein paarmal das Thema Bildung auf, wenn es auch vielleicht nicht auf den ersten Blick sichtbar ist. Da ist die Rede von guten Schulleistungen, die das übertreffen, was man angesichts der Rahmenbedingungen erwarten kann. Und da ist die Rede von Wissens- und Bildungshunger, von Intelligenz, Interesse und Neugier.

Wenn ich mir überlege, wie oft man mir schon gesagt hat, ich soll nicht so neugierig sein … Aber ich kann's einfach nicht lassen nachzufragen, und mittlerweile bin ich sogar der Überzeugung, dass das kein Fehler ist, sondern eine sehr positive und hilfreiche Eigenschaft.

Ich bin fest davon überzeugt, dass Resilienz und Bildung ganz eng zusammenhängen. Und meine Überzeugung wird von der psychologischen Forschung gestützt. Man hat nämlich immer wieder soziale Gruppen gefunden, in denen die Resilienz bei Kindern besonders stark ausgeprägt war. Ein großer Teil der Studien dazu ist in den USA entstanden, aber das spielt in diesem Zusammenhang keine große Rolle.

Besonders resiliente Kinder fanden die Forscher zum Beispiel bei US-Amerikanern japanischer Abstammung, die zeitweise stark diskriminiert wurden. Trotzdem hatten diese Kinder Erfolg in der Schule – weil sie von ihren Familien eine starke Bildungs- und Leistungsmotivation mitbekommen hatten. Auch unter Afroamerikanern gab es dort besonders viele erfolgreiche Kinder, wo sich die Eltern für die Bildung ihrer Kinder überdurchschnittlich stark engagierten. Und das bekannteste Beispiel sind die Kinder der vietnamesischen Boatpeople in den USA. Sie kamen vor allem in den Siebzigerjahren in die USA, schienen absolut chancenlos und besaßen buchstäblich nichts außer dem, was sie am Leibe trugen. Und die Eltern hatten oft eine sehr geringe Schulbildung. Aber da Bildung in diesen Familien einen extrem hohen Stellenwert hatte, nutzten sie alle Möglichkeiten, um den Kindern Bildungschancen zu eröffnen. Mit großem Erfolg.

Diese Beispiele – und es gäbe noch einige mehr – zeigen meiner Ansicht vor allem zweierlei: Zum einen lohnt es sich in jeder Hinsicht, den Wissenshunger von Kindern zu fördern, und zwar früh und nachhaltig. Nichts eröffnet so viele Wege aus der Armut wie Bildung. Bildung eröffnet auch Wege zum sozialen Aufstieg, wie die vielen erfolgreichen Babyboomer in Deutschland zeigen, die von der Bildungspolitik der späten Sechziger- und dann vor allem Siebzigerjahre profitiert haben. Dabei rede ich gar nicht nur vom Zugang zum Gymnasium für »Arbeiterkinder«, auch wenn der zweifellos erleichtert wurde. Ich meine auch die weniger bekannten kleineren Schritte: Neun statt acht Jahre Regelschulzeit auf der »Volksschule«, Englischunterricht für alle, Förderung des »zweiten Bildungswegs« ... Und natürlich meine ich die Förderung der Gesamtschulen in der Bundesrepublik, speziell in den westlichen Bundesländern – in der alten DDR waren sie ja ohnehin die Regel.

Zum anderen wird damit klar, was überhaupt nicht geht. Es ist eine Katastrophe für die Resilienz von Kindern, wenn man ihnen die größtmögliche Förderung ihres Bildungshungers vorenthält. Dass man Kindern trotz guter Leistungen in der Schule und trotz ihres Bedürfnisses nach Wissen und Bildung den Zugang zu höherer Bildung verbaut, nur weil man davon ausgeht, dass sie in ihrer Familie nicht unterstützt werden – das geht gar nicht. Ich war ein solches Kind. Und mich hat die Tatsache, dass ich am Ende meiner Grundschulzeit keine Empfehlung fürs Gymnasium bekam, obwohl alles dafürsprach, sehr verletzt. Mehr noch: Es hätte mich leicht in eine Frustration führen können, die mir alle Freude an Schule und Bildung verleidet hätte. Gut, dass es anders gekommen ist. Selbstverständlich ist das nicht.

Resilienz kann man fördern und trainieren

Ich habe es vorhin schon erwähnt: Resilienz ist nichts, was man hat oder eben auch nicht. Es gibt durchaus Möglichkeiten, sie zu fördern und zu trainieren. Zugang zu Bildung ist eine solche Möglichkeit. Ansätze, bei denen es darum geht, negative Erlebnisse als Chance zum emotionalen Wachstum zu sehen, gehören ebenso dazu. Ich will darauf hier nicht weiter eingehen, aber eins scheint mir ganz klar: Das Wort »Chance« ist entscheidend.

Kinder brauchen Chancen. Sie brauchen die Chance, ihre Fähigkeiten und Potenziale zu entwickeln, ihrer Neugier und ihrem Wissenshunger nachzugehen, sich in Gemeinschaften wiederzufinden, Hilfe anzunehmen, Empathie und Gefühle zu zeigen. Dafür brauchen sie Schutz und Menschen, die sie dabei begleiten. Und wenn sie diese Menschen nicht in ihrer Herkunftsfamilie haben, dann brauchen sie die Chance, solche Menschen außerhalb ihrer Familie zu finden. Solche Chancen bereitzustellen ist auch ein Stück weit staatliche Aufgabe. Womit wir wieder bei den Kinderrechten wären, die endlich in unserer Verfassung verankert werden müssen.

Denn letztlich ist es so: Resiliente Menschen, Kinder und Jugendliche zumal, sind überdurchschnittlich gut dazu in der Lage, Chancen zu nutzen, wo diese sich bieten. Aber wo es keine Chancen gibt, nützt alle Resilienz nichts.

Geschafft

Am 25. August 2019 bin ich in die USA geflogen. Nicht nach Boston übrigens, wo die Harvard University liegt. Daran haben sich einige Journalist*innen aufgehängt, dass ich irgendwann mal gesagt habe, ich will in Harvard studieren. Tatsächlich habe ich mich gar nicht um einen Studienplatz in Harvard beworben, sondern an einem kleineren, aber sehr renommierten College: dem St. Olaf College in Northfield, einer kleinen Stadt ganz in der Nähe der Hauptstadt von Minnesota, Saint Paul. Das College hat nur etwa dreitausend Studenten, davon etwa achthundert Studienanfänger*innen jedes Jahr. Es ist nach dem norwegischen Nationalheiligen benannt, dem Wikingerkönig Olaf Haraldsson, denn es wurde Ende des 19. Jahrhunderts von norwegisch-amerikanischen Einwanderern gegründet. Es ist an die Evangelisch-Lutherische Kirche der USA angeschlossen und gehört zu den bekannten und angesehenen kleinen Privatcolleges mit einem vierjährigen Undergraduate-Studiengang. Ich kann dort vier Jahre lang ein geisteswissenschaftliches Studium auf richtig hohem Niveau durchziehen, das ich mit dem Bachelor abschließen werde. Mal sehen, was danach kommt. Vielleicht führt mich mein Weg nach dem Bachelor ja doch noch nach Harvard … Nein, ehrlich gesagt mache ich mir darüber im Moment überhaupt keine Gedanken.

Ich habe genug anderes im Kopf. Denn ich bin ja jetzt Student, was einiges in meinem Leben auf den Kopf stellt. Da ich im Mai 2019, ein paar Tage vor dem Abschluss am UWC, achtzehn Jahre alt und damit volljährig geworden bin, habe ich auf einmal viel mehr Freiheiten als früher, bin aber auch deutlich mehr auf mich allein gestellt und muss mich selbst um alles kümmern. Finanziell geht es mir gut, da ich ein Vollstipendium des College bekomme. Davon kann ich ganz gut leben. Ich wohne in Hoyme Hall, einem Studentenwohnheim mit Doppelzimmern. Mein Zimmerkollege ist Amerikaner, ein freundlicher, unkomplizierter Typ, mit dem ich mich gut verstehe. Seine Familie stammt von den skandinavischen Einwanderern ab, von denen es hier in Minnesota viele gibt.

Dieser Hintergrund und die Tradition der Einwanderer spielen hier durchaus noch eine Rolle. So wurden bei der offiziellen Begrüßung der Studienanfänger*innen diejenigen eigens mit Namen begrüßt – und wir waren immerhin neunundachtzig! –, die aus dem Ausland kommen. Ich fand das wirklich bemerkenswert. Der College-Präsident hat in seiner Begrüßung extra darauf hingewiesen, dass es ihm ein Anliegen ist, uns willkommen zu heißen und dafür zu sorgen, dass wir uns wohlfühlen. Keine Ahnung, ob es so etwas an deutschen Universitäten auch gibt.

Wer die Website des College aufruft, kann uns alle achthundertsieben sehen, auf einem Luftbild, wo wir auf dem Rasen eine 23 bilden – das ist das Jahr, in dem wir unseren Abschluss machen werden. »St. Olaf has officially welcomed the Class of 2023, a talented group of 807 first-year students who hail from 508 high schools in 43 states and 57 different countries«, heißt es da. Was für eine unglaubliche Vielfalt! Sie nennen sich »Oles«. Und ich bin einer von ihnen. Ich gehöre ohne Wenn und Aber dazu. Ab und zu fühlt es sich wirklich so an, als hätte ich »es geschafft«.

Was das Thema »mehr Freiheiten« angeht, so darf man sich darunter übrigens nicht zu viel vorstellen. In den USA ist zum Beispiel Alkoholkonsum erst ab einundzwanzig erlaubt. Die meisten der amerikanischen Studierenden kommen direkt aus ihren Familien (einige wenige waren vorher schon auf einem Internat) und sind sehr behütet aufgewachsen. Entsprechend wird für sie auch auf diesem Privatcollege rundum gesorgt. Was den Unterricht und auch die Unterbringung angeht, fehlt es hier an absolut nichts, dafür sorgen Sponsoren und Spender. Verglichen mit dem UWC lebe ich hier echt im Luxus. Auch wenn ich keine Möbel mitbringen konnte wie einige meiner Mitstudierenden. Mein Sofa ist der Koffer, mit dem ich hier angereist bin. Ich habe eine Decke darübergelegt, fürs Erste funktioniert das ganz gut so. Ich sagte ja schon, ich bin eher Minimalist.

Ich bin aber auch Vollzeitstudent, man erwartet von uns starke Leistungen und gründliche Vor- und Nachbereitung des Unterrichts. Da ist es keine Seltenheit, dass man von einer Kursstunde zur anderen mal eben hundert oder mehr Seiten lesen muss. Auch die Wochenenden gehören dem Lernen. Als Fächer habe ich für den ersten Term Religion, Französisch für Anfänger, Mathe und Politik – Internationale Beziehungen gewählt. Damit bin ich echt ausgelastet. Mathematik brauche ich, um in den nächsten Terms mit Statistik weitermachen zu können. Mein zweites Fach ist ja Wirtschaftswissenschaft, da geht es nicht ohne Zahlen. Französisch wollte ich immer schon können, auch weil ich nach meinem Master im *Cooperate-Social-Responsibility*-Bereich (also in dem Bereich eines Unternehmens, der sich beispielsweise mit sozialen Initiativen beschäftigt) oder vielleicht sogar als Diplomat arbeiten möchte.

Aber ich würde auch gerne in der Politik mitmischen. Politik ist mein Wunschhauptfach, neben der Umweltwissenschaft. Und Religion ist einfach interessant und spielt in den USA ohnehin eine viel größere Rolle als bei uns. Im Moment beschäftigen wir uns in diesem Kurs mit biblischen Ansätzen zu Umweltfragen in der Welt von heute. Sehr spannend!

Montag, Mittwoch und Freitag sind Unterrichtstage. Da geht es Schlag auf Schlag, und ich komme gerade mal zum Mittagessen, dann geht es auch schon weiter. Die Fächer habe ich ja schon aufgezählt. Dienstag und Donnerstag ist kein Unterricht, aber da sind wir damit beschäftigt, zu lernen, den Unterricht vor- und nachzubereiten. Pro Fach kommen da leicht zwei bis drei Stunden pro Tag zusammen. Auf eigenständiges Lernen und Arbeiten wird hier sehr viel Wert gelegt.

Die Mahlzeiten gibt es in der Mensa, und neben der Vor- und Nachbereitung des Unterrichts bin ich etwa eine halbe Stunde damit beschäftigt, Dinge zu recherchieren, Kontakt nach Deutschland zu halten und so weiter. Natürlich versuche ich auch, meine Beziehungen zu pflegen. Die Zeit mit meinen Freunden ist mir sehr wichtig. Ich will nicht zum Lernroboter mutieren, sondern endlich auch das genießen, wonach meine Seele immer noch hungert: Leben und Lieben.

Und dann gibt es hier neben dem Unterricht zahlreiche studentische Gruppen, die sich einzelnen Themen widmen und sich zum Teil sehr intensiv engagieren. Da bin ich nach all meinem politischen Engagement – im Kinderrechtsbereich und auch sonst – voll in meinem Element. Ich bin Teil der *Green-New-Deal*-Gruppe. Sie hat sich zum Ziel gesetzt, politisches Bewusstsein über den *Green New Deal* zu wecken und zu fördern, indem sie dessen politische und gesellschaftliche Relevanz in die öffentliche Diskussion des College einbringt.

Es gibt auch eine *Bernie Sanders Student Group,* in der ich mich engagiere. Das ist eine Unterstützungsgruppe für den unabhängigen US-Politiker Bernie Sanders, der im US-Senat den Bundesstaat Vermont vertritt und dort der Fraktion der Demokraten angehört. Bernie Sanders war 2016 mit im Rennen um die Präsidentschaftskandidatur der Demokraten, unterlag dann aber gegen Hillary Clinton. Im Februar 2019 hat er angekündigt, dass er bei der Wahl 2020 gegen Donald Trump antreten will. Die *Student Group* unterstützt seine Kandidatur, und das finde ich sehr gut. Denn Bernie Sanders ist ganz klar, obwohl er selbst mit Jahrgang 1941 nun wirklich nicht mehr zu den Jüngsten gehört, der Kandidat der jungen Leute auf der linken Seite des politischen Spektrums in den USA. Über meine ersten Erfahrungen in den USA, mit den politischen Auseinandersetzungen, die sich so sehr von denen in Deutschland unterscheiden, ließe sich ein eigenes Buch schreiben. Wer weiß, vielleicht mache ich das irgendwann mal.

Die Erfahrung, als Student in den USA zu leben, ist jedenfalls spannend und höchst interessant. Aber als politisch denkender und handelnder Mensch erlebe ich eben auch, wie gespalten sich dieses Land darstellt und wie fragil der innere Friede in den USA ist. Ich bin froh und dankbar, nur Gast hier zu sein und meinen Lebensmittelpunkt nach wie vor in Deutschland zu haben. Daran soll sich auch nichts ändern.

Das betrifft übrigens auch ganz praktische Dinge des täglichen Lebens. Wenn ich mir das Gesundheitssystem in den USA ansehe, finde ich, wir können wirklich stolz auf das sein, was wir in Deutschland auf dem Gebiet »Gesundheitsversorgung für alle« erreicht haben. Und so sehr ich selbst die Mängel und Lücken unseres Systems sozialer Sicherung erlebt habe – wenn ich das Ausmaß der Ungleichheit und Ungerechtigkeit in den USA beobachte, dann bleibt mir gar nichts anderes übrig, als festzustellen, dass Welten zwischen diesen beiden Systemen liegen. Dabei sind wir hier auf dem Campus von St. Olaf letztlich weitab von allen drängenden sozialen Problemen. Wer diese Probleme nicht wahrnehmen will, der kann hier leicht darüber hinwegsehen. Aber den Kopf in den Sand zu stecken, das ist nicht meine Art …

So wird es, wenn alles gut geht, vier Jahre lang weitergehen. Ich freue mich sehr darauf! Für den nächsten Term habe ich mir vorgenommen, Moralphilosophie und Psychologie zu belegen.

Geschafft?

Tja, der nächste Term …

Davor liegen Weihnachten und der Jahreswechsel. Der Gedanke daran bringt mich schnell auf den harten Boden der Tatsachen zurück. Denn ich weiß noch nicht, wo ich Weihnachten und den Jahreswechsel verbringen werde. Meine amerikanischen Freunde werden in ihre Familien zurückkehren und dort feiern. Sie freuen sich schon auf Thanksgiving, das traditionelle Erntedankfest Ende November. Und natürlich auf die Frühlingsferien im nächsten Jahr, die hier eine große Rolle spielen. *Spring Break:* Das sind nur ein bis zwei Wochen, aber schon lange vorher machen alle Pläne dafür. Da wird verreist, da wird zum Teil ganz schön wild gefeiert, da genießen die Student*innen ihre Freiheit und schlagen manchmal auch ziemlich über die Stränge.

Wenn ich darüber nachdenke, spüre ich besonders deutlich, dass ich anders bin als sie. Nach wilden Partys ist mir ehrlich gesagt gar nicht zumute, und für Reisen in die Karibik habe ich schlicht und einfach kein Geld. Wenn ich höre, was die anderen ganz selbstverständlich planen, fühle ich mich allein und ein Stück weit auch entwurzelt. Man sieht es schon daran, dass mein ganzes Leben – wirklich alles, was ich besitze! – in dem Koffer

Platz hat, mit dem ich hier angereist bin. Ich habe wieder mal nur mich. Und wenn ich Kontakt zu anderen Menschen haben möchte, dann muss ich aktiv danach suchen. Aber daran bin ich ja seit frühester Kindheit gewöhnt – und zum Glück habe ich immer wieder Menschen gefunden, die mich unterstützt haben.

Dieses Gefühl, allein zu sein, hat mich auch durch den vergangenen Sommer begleitet. Die letzte Zeit in Deutschland war nicht leicht für mich. Im Mai fand, nach all dem Prüfungsstress und gleich nach meinem achtzehnten Geburtstag, die Abschlussfeier am UWC statt. Wir haben noch einmal ordentlich zusammen gefeiert, es war auch ein tolles Fest. Ich war stolz und glücklich – schließlich bin ich der Erste in meiner Familie, der einen richtig guten Schulabschluss gemacht hat.

Mein Vater war mindestens ebenso stolz wie ich. Ich hatte ihn eingeladen, bei der Abschlussfeier dabei zu sein, und obwohl klar war, dass ihn das alles total überfordern würde, hat er sich auf den Weg nach Freiburg gemacht und nicht gekniffen. Meine Mutter ist nicht mitgekommen, und ich wollte sie an diesem Tag auch nicht sehen. Mein Vater hat sich tapfer geschlagen, und viele meiner Freunde haben mir hinterher gesagt, dass sie ihn cool und klasse fanden. Darüber habe ich mich gefreut – es waren ja so viele erfolgreiche Eltern da, dass er schon ein bisschen »exotisch« wirkte. Aber er hat gestrahlt von einem Ohr zum anderen. Schließlich hat er ja recht behalten mit seinem ewigen »Junge, du schaffst das schon«.

Nach der offiziellen Abschlussfeier kam der persönliche Abschied von meinen Freunden. Wir haben noch bis morgens um halb vier gefeiert. Es war seltsam und auch sehr emotional. Du hast noch so viel zu sagen, willst jeder und jedem noch etwas Wichtiges mitgeben. Und die Zeit läuft dir davon. Wir waren glücklich und traurig zugleich. Der Abschied hat ganz einfach wehgetan. Viele von meinen UWC-Freunden werde ich vielleicht nie wiedersehen, höchstens mal auf einem Alumni-Treffen. Aber das ist ja nicht dasselbe.

Danach war ich dann wirklich allein auf mich gestellt. Ich habe ein Praktikum bei der SPD-Bundestagsfraktion in Berlin gemacht, das super interessant war. Den ganzen Juni über habe ich im Büro des Abgeordneten Gustav Herzog mitgearbeitet, durfte ihn zu Sitzungen des Bundestagsplenums und in Ausschüsse wie auch zu Fraktionssitzungen begleiten. Außerdem konnte ich bei einigen Recherchearbeiten zu Themen aus dem Bereich Klimaschutz zeigen, was ich draufhabe.

Ich habe – im dritten Anlauf – meinen Führerschein geschafft. Bei vielen organisatorischen Dingen, die vor meiner Abreise in die USA noch zu regeln waren, hat mir meine Mentorin in Frankfurt geholfen, ebenso wie Anja, meine Betreuerin aus dem SOS-Jugendhaus. Meine Mentorin hat auch eine Vollmacht, um meine Angelegenheiten zu regeln, falls mir was passieren sollte.

Denn auch darin unterscheide ich mich ja von meinen Mitstudierenden: Ich habe kein selbstverständliches Familiennetz, das mich auffängt, im Kleinen wie im Großen. Die anderen können in den Ferien, zu den Feiertagen nach Hause fahren, dorthin, wo sie hingehören. Der amerikanische Schriftsteller Robert Frost hat mal gesagt: »Zu Hause ist da, wo sie dich reinlassen müssen, wenn du kommst.« So einen Ort habe ich nicht. Ich gehöre nirgends richtig hin.

Diese Gedanken haben mich sehr beschäftigt, während ich den Sommer nach dem Abitur in Deutschland verbrachte. Ich wollte ja schließlich nicht auf der Straße leben, und ich wollte auch auf keinen Fall beim Jugendamt »Hilfe zur Erziehung« beantragen, um irgendwie ein Dach über dem Kopf zu bekommen. Das kann man machen, wenn man nicht weiß, wohin, es gibt da eine Art Übergangsfrist für die Jahre zwischen achtzehn und einundzwanzig. Aber ich fand schon den Gedanken daran demütigend.

Faktisch war es dann gar nicht so schlimm, denn natürlich gab es liebe Menschen, die mich für eine Weile bei sich aufgenommen haben. *Couch Hopping* – ich bin also von einem Gästebett zum anderen gezogen. Aber das Alleinsein war ein allgegenwärtiges Gefühl. Und es hört auch jetzt nicht ganz auf. Wo werde ich meine Ferien verbringen? Und wohin gehe ich, wenn in vier Jahren meine Zeit in St. Olaf endet?

»Er wird es schaffen«, lautete die Überschrift des Artikels über mich in der *ZEIT* im Frühjahr 2018. Natürlich werde ich es schaffen. Aber ich *habe* es noch lange nicht geschafft, obwohl ich schon 2018 in der *Maischberger*-Sendung genau danach gefragt wurde. Nach einem halben Jahr Prüfungsstress, Übergangszeit, Umzug und Neuanfang in Amerika *bin* ich eher geschafft.

Jammern liegt mir fern und ist überhaupt nicht mein Stil. Aber auch in dem, was ich da jetzt erlebe, zeigt sich, dass meine Ausgangsposition anders ist als die von Kindern und Jugendlichen aus Mittelschichtfamilien oder einem wohlhabenden Umfeld. Trotz aller Hilfe und Förderung, trotz SOS-Kinderdorf und UWC, trotz Mentore*innen und Helfer*innen, die alles Menschenmögliche für mich getan haben, trotz meines Netzwerks, für das ich unendlich dankbar bin: Mir wird immer etwas fehlen. Armut klebt an dir, sie lässt dich nicht so einfach los.

Letztlich bin ich allein auf mich gestellt, seit ich an diesem Morgen im September 2012 beschlossen habe, meine Familie zu verlassen. Ich habe einen ziemlich hohen Preis bezahlt, um mir meine Chancen auf Bildung und ein gutes Leben zu erkämpfen. Doch trotz aller Schwierigkeiten, die ich seitdem meistern musste, bin ich froh, dass ich diesen Weg gegangen bin.

Geschafft habe ich es aber noch lange nicht, und ich weiß auch nicht, wie mein weiterer Weg aussieht. Was mich persönlich angeht, bleibt es also spannend.

Was das Thema Kinderarmut angeht, ohnehin. Während die letzten Zeilen dieses Buchs geschrieben werden, bringt die *Süddeutsche Zeitung* einen großen Aufmacherartikel im Wirtschaftsteil. Der Titel: »Der große Rückfall«. Der Untertitel: »In Deutschland ist die Kluft zwischen Arm und Reich nach einer Studie so tief wie schon lange nicht. Die politischen Folgen könnten dramatisch sein. Forscher fordern ein anderes Wirtschaftssystem« ... Und während ich den Artikel in der Onlineausgabe lese, weiß ich nicht so genau, ob mich ein solcher Artikel nun zuversichtlich stimmen soll.

Eins weiß ich aber ganz genau: Aufgeben ist keine Option.

Dank

Dieses Buch ist nicht mein Buch, sondern das meiner Mitmenschen, der Nichtgehörten und Sprachlosen.

Ich möchte mich an erster Stelle an meinen langjährigsten und besten Kumpel Dean richten, der meinen Lebensalltag wie kein anderer kannte und mit dem ich bis heute in Kontakt bin. An zweiter Stelle widme ich dieses Buch meinen ehemaligen Tagesgruppenbetreuern Oli und Kathrin, mit denen ich ebenfalls bis heute in Kontakt stehe und die die wichtigsten Richtungsweiser meines Lebens waren.

Und dann geht ein riesengroßer Dank an …

- Marko Becker und seine Frau, die für mich ein Teil meiner Familie sind und Großes in ihrer Welt erreichen, nämlich die Herzen ihrer Mitmenschen. Ihr habt eure Leidenschaften in die Mitte eures Lebens gestellt.
- Anja Klein, die für mich in meiner Zeit im Jugendhaus nicht nur Betreuerin war, sondern zu einer zweiten Mutter geworden ist und mein emotionales Leben wie keine andere Person versteht.
- Kornelia Spodzieja und ihre ganze Familie, die für mich zu einer zweiten Familie geworden sind und die

mir immer entscheidenden Input geben, für den ich mindestens genauso dankbar bin.

- Helen White, meine Tutorin am UWC, die mich ganz entscheidend in meiner individuellen Entwicklung gefördert und in jeglicher persönlichen Herausforderung unterstützt hat. Sie hat mein Potenzial erkannt wie kaum ein anderer Mensch.
- Emmett Zackenheim, den weltbesten Theaterlehrer, der mir immer kritisches, ehrliches und förderndes Feedback gegeben hat und dessen menschliche Eigenschaften ich bis heute mit Aufrichtigkeit bewundere.
- Andreas Rahm, SPD-Landtagsabgeordneter aus Kaiserslautern, der mir tiefe Einblicke in sein Leben gewährte und für den politischer Aktivismus kein bloßer Begriff ist, sondern gelebte Selbstverständlichkeit. Du bist mir ein wichtiges Vorbild.
- Joshua Biegi, mit dem ich die besten und gleichzeitig schwierigsten Jahre meines Lebens im Jugendhaus verbringen durfte.
- David London, der mich wie kaum ein anderer kennt, der mir bei den ersten Krisen mit meiner ersten Freundin half und mit dem ich zum gemeinsamen sechzehnten Geburtstag zum ersten Mal sturzbetrunken war.
- Und schlussendlich danke ich meiner gesamten Familie, zu der ich mit Dankbarkeit und großer Wertschätzung und Respekt stehe. Schließlich haben sie alle mein Leben geprägt und mit bestimmt.

Ohne euch alle wäre dieses Buch nie entstanden. Denn ohne euch wäre ich nie fähig gewesen, mich in dieser reflektierten Weise kritisch mit meinem Leben und dem Thema Kinderarmut auseinanderzusetzen.

Für die großartige, professionelle und stetige Hilfe beim Verfassen dieses Buchs danke ich Ulrike Strerath-Bolz, die mir half, meine Geschichte so rund und buchgerecht zu machen, dass man sie hoffentlich auch beim Lesen gut versteht, und die auch sonst bei allen Fragen nur einen Klick oder Hörergriff entfernt war. Und ebenso möchte ich mich bei Anja Hänsel bedanken, die es verstand, mich für das Buchprojekt zu gewinnen, und die dieses Buch gemeinsam mit ihren Kolleginnen und Kollegen im Piper Verlag Realität werden ließ.

St. Olaf, im Dezember 2019
Jeremias Thiel

Quellen und Hinweise zum Weiterlesen

Die Wikipedia-Artikel zu den Stichworten »Armut«, »Kinderarmut«, »UN-Kinderrechtskonvention« und »Resilienz« bieten einen recht guten ersten Überblick über das Thema und zahlreiche Verweise auf detailliertere Quellen.

Aktuelle Studien zur Kinderarmut in Deutschland

AWO-Langzeitstudie 1997–2020: *Langzeitstudie zur Lebenssituation und Lebenslage armer Kinder.*
www.iss-ffm.de/themen/alter/projekte-1/langzeitstudie-zur-lebenssituation-und-lebenslage-armer-kinder

Aktuell dazu:
www.awo-org/langzeitstudie-kinderarmut-awo-fordert-paradigmenwechsel-der-armutsbekaempfung/

Bertelsmann Stiftung 2016: *Armutsfolgen für Kinder und Jugendliche. Erkenntnisse aus empirischen Studien in Deutschland.*
www.bertelsmann-stiftung.de/fileadmin/files/BSt/Publikationen/GrauePublikationen/Studie_WB_Armutsfolgen_fuer_Kinder_und_Jugendliche_2016.pdf

Bertelsmann Stiftung 2017: *Armutsmuster in Kindheit und Jugend. Längsschnittbetrachtungen von Kinderarmut.* www.bertelsmann-stiftung.de/de/publikationen/publikation/did/armutsmuster-in-kindheit-und-jugend/

World Vision, 4. Kinderstudie 2018: www.worldvision.de/sites/worldvision.de/files/pdf/World-Vision-Zusammenfassung-vierte-Kinderstudie.pdf

Zu den Themen Armut und Gesundheit/Armut und Werte

Paritätischer Wohlfahrtsverband, Armutsbericht 2017: www.der-paritaetische.de/schwerpunkt/armutsbericht/empirische-ergebnisse/armut-und-gesundheit

Leipziger Life-Child-Studie 2019:
www.life.uni-leipzig.de

World Values Survey:
www.worldcaluessurvey.org

Zum Thema UN-Kinderrechtskonvention

Aus dem Bundesministerium für Familie, Senioren, Frauen und Jugend (BmFSFJ):
www.bmfsfj.de/kinderrechte

Die UN-Kinderrechtskonvention im Detail:
www.kinderrechtskonvention.info
www.unicef.de/informieren//ueber-uns/fuer-Kinderrechte/un-kinderrechtskonvention

Zum Thema Resilienz

Jens Asendorpf u. a.: »Der lange Schatten der frühen Persönlichkeit«, in: W. Schneider (Hg.): *Entwicklung von der Kindheit bis zum Erwachsenenalter. Befunde der Münchner Längsschnittstudie (LOGIK).* Weinheim 2008, S. 124–140

Nathan Caplan u. a.: »Indochinese Families and Academic Achievement«, in: *Scientific American* 2. 1992, S. 24

William Caudill & George De Vos: »Achievement, Culture and Personality. The Case of Japanese Americans«, in: *American Anthropologist* 56.6 (1956), S. 1102–1125 (die Studie ist nicht unumstritten, gilt aber als wichtiger Vorläufer der Resilienzforschung)

Emmy Werner & R. S. Smith: Vulnerable but Invincible. A Longitudinal Study of Resilient Children and Youth. New York 1982/1989

Informationen über die United World Colleges und ihren Hintergrund

Zu den United World Colleges und zum Robert Bosch College in Freiburg:
www.uwc.org
www.uwc.de/programm/was-ist-uwc

Zu den *Sieben Salemer Gesetzen* von Kurt Hahn:
www.checksalem.eu/allgemein/die-sieben-salemer-gesetze/